O JARDIM E A PRIMAVERA

A História dos Quatro Dervixes

Amir Khusru

O Jardim e a Primavera

A História dos Quatro Dervixes

Compilação:
Amina Shah

Apresentação:
Doris Lessing

attar
EDITORIAL

Título original: *The Tale of the four dervishes*

Compilação: Amina Shah © 1978
Apresentação: Doris Lessing ©

Prefácio: Regina Machado
Tradução: Mônica Cavalcanti e Sergio Rizek
Revisão: Walter Antunes
Ilustração da capa: Rubens Matuck
Diagramação: Silvana Panzoldo

Dados Internacionais de Catalogação na Publicação (CIP)
(Câmara Brasileira do Livro, SP, Brasil)

Khusru, Amir
O jardim e a primavera: a história dos quatro dervixes / Amir Khusru; compilação Amina Shah; tradução Mônica Cavalcanti e Sergio Rizek; apresentação Doris Lessing; prefácio da presente edição Regina Machado. — São Paulo: Attar, 2021.
Traduzido do persa para o urdu.
1. Literatura sufista 2. Sufismo - Contos I. Título

93-1495 CDD-691.53

Índices para catálogo sistemático:
1. Contos sufistas: Literatura persa antiga 891.53

ISBN 85-85115-05-X

ATTAR EDITORIAL
rua Madre Mazzarello, 336 cep 05454-040 São Paulo, SP
fone/fax: (011) 3021 2199 attar@attar.com.br
www.attar.com.br

Sumário

Apresentação

DORIS LESSING

Cortes e príncipes não integram o cotidiano da maioria das pessoas, e por isso imaginar o tipo de infância vivido por Amina Shah exige um certo esforço de nossa parte. Mas, afinal, não é preciso ter sido educado na plenitude de um feudalismo benevolente para dizer a si mesmo: "Quando criança, tive experiências extraordinárias e, no entanto, não lhes dei o devido valor". Isto acontece de uma maneira ou de outra a todo mundo, e toda criança sente-se como um habitante originário de uma terra maravilhosa. Amina não pensava, é claro, até quase a idade adulta, que houvesse algo de extraordinário no fato de seu pai, seu avô e seus criados lhe contarem histórias — contos que estavam muito mais próximos dela que de nós, já que gênios e fadas, embora convivam conosco, aclimatados ao nosso meio, não são nativos de nossa paisagem.

Uma menininha — três anos, talvez quatro ou cinco — deitava-se em sua cama no escuro, num enorme quarto com paredes de pedra, e era entretida com cenas de princesas, sábios e animais falantes, tudo isso projetado pelo olho de sua mente em cores vivas e dramáticas nas paredes e no teto. Somente mais tarde, ela soube que talvez nem todos fossem capazes de fazer isto; pois, frequentemente, as crianças têm capacidades que, com o passar do tempo, são deixadas de lado pela trivialidade da vida cotidiana. Mas ela teve a sorte de nascer numa família que não pensava ser um dever suprimir a imaginação de uma criança.

Lendo estas histórias, algumas familiares, outras não, fui levada a pensar sobre as diferenças entre o Oriente e o Ocidente. Conhecemos esses contos sob uma ou outra forma através de Hans Christian Andersen e dos Irmãos Grimm, entre os quais Disney encontrou sua matéria-prima; mas, no seu conjunto, relegamos os "contos de fadas" para a seção assinalada "infantil". Isto não acontece no lugar onde Amina Shah foi educada, pois no Oriente Médio e na Ásia Central a tradição oral é forte; não obstante um período em que — como ocorreu em muitos países — uma indevida e temporária reverência ao Ocidente causou uma indiferença, senão uma hostilidade, às riquezas da tradição local. Mas, nas casas de chá, no rádio e nas aldeias, histórias têm sido contadas e recontadas, e o que sempre foi importante não é o fato de serem novas, mas de ganharem vida através das idiossincrasias de um contador de histórias particular.

Amina Shah sempre foi uma contadora de histórias, não só porque isto está "no sangue", mas porque tem uma voz maravilhosa, e foi ensinada a usá-la de forma exemplar.

Ilustrando a lei segundo a qual atraímos para nós o que somos, de bom e de mal, onde quer que ela vá, as pessoas parecem reconhecê-la instintivamente e começam a contar-lhe histórias. Ela viaja pelos lugares mais inusitados, atravessando fronteiras e barreiras sociais como poucos conseguem fazê-lo. Sua família ocupa uma posição de especial respeito no Oriente, o que nada tem a ver com política, etnias ou estreitos fanatismos religiosos. Ela é convidada a visitar tanto governos revolucionários como monarquias seculares; é bem-vinda entre as mulheres do *purdah**

* *Purdah*: literalmente, "separação"; o termo também designa a divisória que separa mulheres e homens na mesquita

e do harém, porque compreende muito bem como é a vida delas — as vantagens e desvantagens —, como também é reconhecida pelas mulheres emancipadas, porque sua própria vida tem sido livre e cheia de aventuras. Na Inglaterra, por exemplo, durante a última guerra, ela fez o tipo de trabalho que, seguramente, faria alguns de seus ilustres antepassados revirarem-se na tumba. Em síntese, a amplitude de sua experiência faz dela uma pessoa única.

Como disse, existe algo especial em Amina Shah que faz as pessoas se aproximarem para contar histórias. Certa vez, um guia do Taj Mahal começou a entretê-la com algumas histórias que conhecia, e logo se estabeleceu uma amigável competição. Ele diria: "Esta é uma história da Índia"; e ela retrucaria: "Pode ser que sim, mas eu a ouvi quando menina no Afeganistão". Uma camareira num hotel em Bagdá contou-lhe histórias sentindo que ali estavam ouvidos acolhedores e compreensivos. Em outra ocasião, no Iraque, quando foi a Nínive visitar as ruínas, o motorista do táxi contou-lhe uma história atrás da outra para amenizar a monotonia daquela longa viagem, através de uma paisagem que, para ele, nada tinha de fabulosa, por ser o lugar por onde passava todos os dias. No saguão de um hotel em Basra, quando a televisão mostrava uma versão dramatizada de um dos contos d'*As Mil e Uma Noites*, Amina Shah ficou encantada ao ver todas aquelas pessoas ricas e sofisticadas dispostas a apreciar o que seus avós e bisavós desde Matusalém haviam desfrutado.

Mas estas coisas não acontecem apenas quando Amina Shah viaja. Sentada num restaurante turco em Londres, compadeceu-se do proprietário, que estava desconsolado porque, além dela e seus acompanhantes, não havia mais ninguém nas outras mesas. Então, ela o entreteve com a história de Fátima e seus sete irmãos *dives*. Ele disse que aquela história era de sua aldeia na Turquia e contou-lhe a versão que conhecia. Quando outros fregueses chegaram ao restaurante, sentaram-se para ouvir enquanto Amina Shah, o proprietário e os garçons comparavam todas as histórias que conheciam desde a infância, em versões que variavam de acordo com seus diferentes países.

Amina Shah fez diversas coletâneas de histórias que, enviadas como presente a seus parentes e amigos em círculos governamentais, têm ajudado na reavaliação oficial desta grande "Casa do Tesouro" da lenda, do mito e do fantástico, além de revitalizar programas de rádio e TV.

Qual a origem destas histórias? Alguns leitores não se importarão: é suficiente que existam para nossa apreciação. Mas, recentemente, o interesse por este assunto se renovou, não apenas entre acadêmicos e antropólogos. Estudar uma história em particular é como desembaraçar o fio de um novelo encantado, presenteado por ajudantes mágicos a ousados heróis e heroínas. Você desenrola e desenrola o fio da meada, voltando cada vez mais no tempo, muito antes do nascimento do Islam, e mais longe ainda, há milhares de anos, e o fio continua se desenrolando, sem fim à vista. Há alguns anos, Idries Shah, irmão de Amina, publicou uma coletânea chamada *Contos do Mundo* (*World Tales*) que é atualmente o trabalho definitivo sobre o assunto. O livro mostra como uma história pode viajar, no tempo e no espaço, podendo ser encontrada em qualquer parte do mundo. A nossa história da Cinderela, por exemplo: no final do século passado, uma pesquisadora revelou que, em três séculos, surgiram trezentas e quarenta e cinco versões desse conto. A que figura no livro de Idries Shah é uma lenda dos índios Algonquin da América do Norte.

O Jardim e a Primavera, a História dos Quatro Dervixes é um clássico sufi. Composta de contos entrelaçados, foi criada — como outros artefatos sufis — para ilustrar o tema segundo o qual todas as coisas estão infinitamente interconectadas. Aqui, uma história conduz à outra, uma aventura dá origem à seguinte, até que, de repente, você percebe que esqueceu o início e precisa voltar atrás para encontrá-lo. Quem realmente influenciou quem, e como?. É estranho, mas fica difícil distinguir vilões e heróis quando vistos de tantos ângulos diferentes.

Pessoas que nunca estiveram envolvidas com a literatura sufi, cedo ou tarde, ficam fascinadas a partir de um ponto de vista técnico. Informações têm sido largamente fornecidas por Idries Shah, um dos expoentes sufis de nossa época, convidando-nos a pensar sobre esses temas e também a apreciá-los. Em seus livros *Learning How to Learn* (*Aprender a Aprender*) e *The Caravan of Dreams* (*A Caravana dos Sonhos*), ele explica alguns dos usos da literatura sufi como instrumento de ensinamento. Enquanto nos deixamos entreter pelos coloridos atributos de princesas, bons e maus feiticeiros e cavalos mágicos, algo mais está sendo trabalhado no mais profundo de nossas mentes. Estas técnicas são muito intrincadas e variadas, e cabe aqui mencionar apenas uma ou duas. Os sufis afirmam que a mensagem é, frequentemente, a estrutura; e a partir desta informação podemos rever *A História dos Quatro Dervixes*. Acredito que ninguém possa ler tal história – ou rede de histórias – e continuar a enfocar a vida como simples causa e efeito, isto ou aquilo, preto ou branco, sim ou não. Não sabemos os resultados de nossas ações. No mínimo, este pensamento permanecerá conosco a ponto de afetar nossas decisões e moderar nossas certezas.

Na literatura sufi, um processo tem-se desenvolvido, por séculos, milênios: um apelo — para os sufis, bastante audível – aliado a uma forte necessidade — para eles, perceptível —, vindos de um determinado lugar, em função de um certo tipo de evento — segundo eles, uma situação cosmicamente desencadeada —, determinará que obras como esta sejam elaboradas pelos sufis.

Este livro em particular começou, assim nos foi dito, quando um discípulo recitou esta história para seu mestre que estava enfermo. Provavelmente, os contos aqui contidos já existiam em inúmeras formas; alguns deles são muito antigos, outros foram recriados para ajustar-se ao tempo. De qualquer maneira, esse emaranhado de anedotas, contos, piadas, reflexões filosóficas, pequenas crônicas, informações de todo tipo, forma um único tecido.

Entre as obras elaboradas de forma semelhante estão, por exemplo, o *Gulistan – o Jardim das Rosas*, de Saadi de Shiraz, o *Masnavi*, de Jalal ud-Din Rumi, e muitas outras. São verdadeiras coletâneas que, em sua origem, têm uma unidade, plena de vida intensa e vigorosa, e depois, como é comum acontecer, começam a desgarrar-se. Acadêmicos retiram materiais de seu contexto, as piadas começam suas viagens, contos retornam separadamente às praças dos mercados — e, nos dias de hoje, vão para o rádio e a TV, em fitas cassete e vídeos. Mas, então, encontram-se numa forma diferente daquela em que estavam na matriz, onde foram lapidadas e ajustadas entre si, despojadas de todos os ornamentos. Cada um de nós pode ver esse processo operando em todos os dias de nossas vidas. Podemos começar assim: "Eu estava hoje no supermercado e adivinha o que aconteceu? Eu vi ..." E o incidente, o que quer que tenha sido, já aconteceu e seguiu seu curso. A próxima pessoa que, tendo ouvido a história, desejar contá-la, vai, por sua vez, acrescentar outros elementos, enfeitá-la, exagerá-la, pois "quem conta um conto aumenta um ponto". No entanto, quando uma história é tomada a partir de sua matriz, onde estava limpa, fresca e afiada, quase imediatamente adquire a atualidade, a maturidade, a genialidade, o bom humor e a nobreza que caracterizam o gênero, sempre maior que a da vida cotidiana, num tom magnânimo e generoso. É isto que vocês encontrarão neste livro: o tom, ou a marca, do contador de histórias, que encanta e cativa a atenção.

É interessante comparar uma das histórias deste livro com outra que passou por um processo de clarificação. Por exemplo: os capítulos seis, sete e oito de *A História dos Quatro Dervixes* e a história "O rei que decidiu ser generoso", em Histórias dos Dervixes, de Idries Shah. Uma é precisa e nítida, com instruções para estudantes numa certa fase da aprendizagem (bem como outras dimensões, é claro), e tem uma forma apropriada para sua aplicação nesta fase. A outra tem encantamento e cordialidade.

Os sufis entendem e aceitam este processo inevitável. Sabem que os estudiosos irão desmembrar artefatos que foram desenhados como um todo, e que eles — os sufis — terão de recriá-los e reorganizá-los outras vezes, em novas formas. Sabem que o "contador de histórias" presente no ser humano não pode resistir ao prazer de transmitir e participar de histórias, velhas e novas, e que este fato, por si mesmo, garante sua difusão. Sabem que as anedotas, tão cuidadosamente elaboradas por eles, não podem ser contidas por fronteiras ou religiões. Eles sabem — para ilustrar nosso especial ponto de vista aqui — que a criança que é transportada pelo encanto de uma história talvez necessite um alívio para a dureza e a crueldade do mundo; ela precisa ser lembrada que esta nobreza de tom, fluente e cordial, existe em algum lugar; e mais tarde, quando seu tempo chegar, a curiosidade fará seu trabalho; e então o jovem (o homem ou o velho, já que todos têm um relógio interior que soa quando chega a hora) estará disposto a retornar ao texto original, e lá encontrar os significados precisos, tranquilos, e até mesmo desagradáveis, contidos (e protegidos) no Maravilhoso.

Mas, em qualquer forma que apareça, seja qual for o tipo de linguagem, cada história tem seu lugar, sua função, seu uso, cada uma com seu tipo particular de prazer. Cada história atrairá a pessoa adequada que, naquele momento, está preparada para ouvi-la, assim como a história, por sua vez, foi preparada para aquela pessoa.

Prefácio à edição brasileira

Nasruddin passava todos os dias por uma fronteira com seu burro carregado de caixas, objetos e muitos outros pertences dos mais variados tipos. Como neste lugar era bastante frequente a prática do contrabando, os guardas da fronteira tornaram-se especialistas em descobrir esconderijos e flagrar os contraventores. Certos de que com Nasruddin não seria diferente, a cada dia examinavam exaustivamente a bagagem de seu burro; reviravam sua carga, desmontavam peça por peça, mas nunca acharam nada que pudesse ser classificado como contrabando. Depois de muito tempo de pesquisa ineficiente e infrutífera, resolveram perguntar a Nasruddin qual era, na verdade, a natureza de seu contrabando, já que afinal sabiam que ele o fazia como todos os outros. Então, Nasruddin respondeu que contrabandeava burros.

Este é um conto clássico do Mullah Nasruddin, personagem bastante conhecido no Oriente Médio de quem se contam histórias hoje difundidas por várias partes do mundo. Através dele, podemos quem sabe vislumbrar certos aspectos que apontam para a compreensão do conto tradicional, tal como é concebido na tradição sufi.

A partir de determinado momento da História do Ocidente, debruçamo-nos sobre a imensa árvore de histórias populares, que se ramifica desde tempos imemoriais, em diferentes culturas, e observamos sua infinita variedade e repetição. Começamos a indagar como uma mesma história pode ter tantas versões diferentes e ser encontrada em lugares e épocas tão distantes; como é possível que esteja presente, por exemplo, no folclore da França e ao mesmo tempo num grupo indígena da América do Norte.

Em busca das origens, da difusão e de uma possível explicação, vasculhamos seus conteúdos — como guardas de fronteira —, procurando investigar e determinar, a partir dos instrumentos à nossa disposição, as características do conto tradicional. Nessa busca, elaboramos teorias que se contrapõem, ou se desenvolvem a partir umas das outras, sem que nenhuma delas tenha chegado a descobrir — afinal, que contrabando é esse? — ou elucidar definitivamente as origens ou a natureza profunda de nosso material de estudos. Apesar de nossos esforços, nenhuma destas teorias abarca o conto em sua totalidade significativa, e este permanece maior e mais verdadeiro, numa região que está além de nossas hipotéticas e restritivas interpretações.

Enquanto classificamos, comparamos, isolamos motivos, elaborando explicações oriundas de abordagens psicológicas, antropológicas ou filosóficas, os "burros" passam pela fronteira do entendimento, do espaço e do tempo das diferentes culturas humanas, permanecendo desconhecidos os outros níveis de significação e função dos contos tradicionais. De qualquer forma, a experiência que o conto nos propicia mantém-se irredutível perante qualquer de suas interpretações.

Mas, afinal, o que é preciso para apreender a misteriosa mercadoria que passa diante de nossos olhos sem que a vejamos? Onde e como devemos procurar a significação dos contos, sua função enquanto obra criada pelo espírito humano?

Uma primeira pista no caminho para uma compreensão mais significativa das narrativas populares nos é dada por J. R. R.

Tolkien,* estudioso dos primórdios da saga inglesa, ele mesmo um magnífico contador de histórias. Deixando de lado as investigações sobre as origens e outros tipos de classificações, Tolkien se detém sobre o efeito que os contos maravilhosos têm sobre nós, adotando uma perspectiva que parte de um princípio semelhante a uma formulação corrente na tradição sufi, segundo a qual para se conhecer uma cebola é preciso prová-la. Ele compara o conto maravilhoso a um grande caldeirão de sopa: alguns se preocupam em separar seus ingredientes para saber o que contém; outros tomam a sopa para saboreá-la. Saboreando-a, Tolkien define seu efeito: o Encantamento, produto da Arte da Fantasia, que, em si mesmo, não pode ser descrito ou definido, embora seja perceptível.

Seu ponto de partida é a ênfase no poder fabricador da linguagem, sublinhando o caráter artístico da narrativa tradicional. Segundo Tolkien, é preciso trabalho, pensamento e uma habilidade especial para operar com a Fantasia; ordenar imagens num mundo em que sejam verossímeis é tarefa da arte narrativa em sua forma mais fundamental. O Encantamento que se produz no conto bem sucedido cria um universo em que essas imagens podem ser experimentadas tanto pelo idealizador, ou contador, quanto pelo leitor, ou ouvinte. O artista seria uma espécie de "subcriador", pois é capaz de criar Fantasia em nossa medida e nosso modo derivativo, porque somos criados e feitos à imagem e semelhança de um Fazedor. Assim, o princípio da verdadeira arte, da qual a Fantasia é um reflexo, é obra primária do Criador. Para Tolkien, o efeito específico e particular do Encantamento, em sua função mais essencial, relaciona-se a uma espécie de alegria produzida em nós pelo relato maravilhoso. A qualidade peculiar desta alegria pode ser entendida como o súbito vislumbre

* J. R. R. Tolkien, "On Fairy-Stories" in *The Tolkien Reader*, N.Y., Ballantine Books, 1978, p. 33-99.

desse princípio da verdadeira arte primária subjacente a todo ato criador humano.

Concepção semelhante, elaborada a partir de um rigoroso discurso de natureza metafísica, aparece em autores como, por exemplo, Ananda Coomaraswamy.* Segundo ele, os temas folclóricos são reminiscências de fórmulas presentes nas escrituras sagradas, e que, corretamente preservados, ainda conservam sua inteligibilidade e significação original. Assim, o verdadeiro folclorista deveria ser menos um psicólogo e mais um teólogo e metafísico para compreender seu objeto de estudo.

Nesta mesma linha, outros estudiosos** afirmam que a maioria das sagas, lendas e fábulas conservam ensinamentos profundos atrás de seus elementos mais bizarros e fantásticos: para compreendê-los, é preciso buscar o simbolismo — entendido em sua significação metafísica e não psicológica — que neles está oculto sob uma forma fabulosa.

A contribuição da tradição sufi abarca tanto a fala do poeta Tolkien quanto à visão metafísica da natureza sagrada das narrativas tradicionais. Idries Shah, um de seus maiores representantes, nos fala de modo mais específico e detalhado sobre a experiência humana de transmissão de conhecimento através das histórias. Enquanto na visão poética de Tolkien é o sabor da cebola que, em última instância, possibilita seu conhecimento mais profundo, a abordagem técnica de Idries Shah diferencia suas sucessivas camadas, as quais, embora contendo todas essencialmente o mesmo sabor, permitem, cada uma em seu nível, experiências de natureza distinta. Assim, além do simples entretenimento, das abordagens psicológicas, antropológicas ou filosóficas, uma história pode conter outros níveis de funcionamento efetivo que só serão percebidos

---

* A. Coomaraswamy, "La naturaleza del folklore y del Arte popular", in *La Filosofia Cristiana y Oriental del Arte*, Ediciones Taurus, Madrid, 1982, p. 132-144.

** Claudio F. Mutti, *Le symbolisme dans la fable*, Paris, Éditions de la Maisnie, 1979.

ou examinados quando uma certa informação fundamental se tenha operado em nosso espírito. O estudo intelectual do simbolismo seria, então, apenas um dos níveis de compreensão desse material, e não a via mais efetiva de aproximação de seu conteúdo mais profundo. Para tanto, faz-se necessário um deslocamento de atenção, do conto para o sujeito que busca apreendê-lo, isto é, deixar de procurar algo que está oculto no conto enquanto forma objetiva, continente em si mesmo de um conhecimento misterioso a ser decifrado, por qualquer meio que seja. Em vez disso, é preciso desenvolver uma qualidade interior para compreender que a significação não está lá, no conto, mas na forma como este atua sobre nossa percepção.

Parece que esta perspectiva aberta por Idries Shah oferece uma possibilidade de nos aproximar dos contos como crianças curiosas que se deixam conduzir pelo fio da narrativa, atentas ao efeito que nelas se produz a cada acontecimento relatado. À medida que nos deixamos tocar e despertar para outros tipos de entendimento, nossa percepção se modifica, numa experiência em que nos perguntamos o que cada história nos diz naquele momento específico de nossa contingência pessoal. Como no conto chinês em que o mestre carpinteiro interroga a árvore que encontrou na floresta, à espera de transformar-se em sua mesa: "O que você tem para mim e o que eu tenho para você?"

Nesse sentido, os contos podem ser saboreados no plano imaginativo, entendido como um degrau possível em direção a planos mais profundos, não apenas despertando o sentimento de alegria de que fala Tolkien mas, ao mesmo tempo, revelando como o espírito humano pode operar. O contato com as histórias permite uma experiência pessoal de "contar-se sua própria história" através do relato universal. Caminhar no mundo encantado onde se concretiza a infinita metamorfose de tudo o que existe, aponta para a possibilidade do devir humano. A experiência imaginativa, enquanto exercício da esperança, da transgressão do tempo e da morte, realiza-se no encontro com as narrativas tradicionais como uma centelha da virtualidade, na afirmação do poder de tornar-se humano. O plano imaginativo, deste modo, não é uma fuga ou um consolo para a contingência do mundo, mas um degrau que admite o desconhecido, um passo na direção de uma esfera que o entendimento comum não alcança, mas que a faculdade da imaginação pressente e antevê. O acesso a estes outros níveis requer, no entanto, o desenvolvimento de determinadas qualidades, em uma certa situação de aprendizado, para que se possa experimentar o conteúdo interior das histórias, como sublinha I. Shah. Em vários textos sobre as chamadas histórias de ensinamento, ele as apresenta ao leitor ocidental como um instrumento que faz parte do conjunto de técnicas elaboradas desde tempos muito antigos pela tradição sufi, compondo um sistema coerente de ensino para o desenvolvimento do ser humano. O conto de ensinamento, assim, contém fundamentalmente uma forma de conhecimento específico, concebido para agir de maneira precisa sob certas condições, "para que a história possa guiar-nos ao longo do caminho, através dos diferentes níveis de consciência que nos são acessíveis".*

Os contos tradicionais, geralmente conhecidos como contos de fadas, contos populares ou lendas folclóricas, são variações e ramificações dessas matrizes originais, concebidas a milhares de anos. As mais diferentes tradições contêm numerosos exemplos destas obras de arte narrativa, que tinham como objetivo captar, preservar e transmitir determinados ensinamentos, parte de um conhecimento que só pode ser acessível ao homem desta maneira. Por isso, algumas histórias persistem misteriosamente através dos tempos, renascem em diferentes lugares e conservam um efeito verdadeiramente vivo, comum a todas elas. As histórias básicas, aquelas que viajaram mais longe, que aparecem na maioria das antologias clássicas, inspiraram os grandes escritores de

* Idries Shah, "L'histoire-enseignement. Remarques sur le folklore de la pensée 'moderne'", in *L'elephant dans le noir*, Paris, Le Courrier du Livre, 1980, p. 77.

todos os tempos: no Oriente, encontram-se em coletâneas como o *Panchatantra*, que servia para a educação de príncipes, nas histórias budistas *Jataka*, de mais de 2500 anos, ou n'*As mil e uma noites*; no Ocidente, nas coletâneas de Bocaccio, Chaucer e Shakespeare, e muitas outras que estão na raiz da literatura clássica da Europa e da Ásia. É como se esta forma básica pedisse para ser constantemente recriada através do esforço de alguém. "E este esforço, estranhamente, é experimentado como a relativa perícia de uma humilde parteira. É o conto em si mesmo que, quando emerge, é rei".*

Parece que, antes de tudo, é preciso ficar em silêncio para escutar as histórias e poder saboreá-las. Aprender a ouvir requer um estado distendido de quietude interior.

A palavra grega *mythos* provém da raiz *mû*, da qual se origina a forma verbal *mûo* — "eu me calo", "permaneço em silêncio". Na forma *muéo*, este verbo significa "eu me inicio nos mistérios", pois o termo grego para mistério provém da mesma raiz. A palavra mito, assim, compreende a ideia de silêncio, o que se evidencia mais ainda quando se compara ao latim *mutus*, "mudo".

Silenciamos as interpretações, deixamos de remexer exaustivamente as bagagens de Nasruddin e, mudos, trabalhamos um outro tipo de percepção, uma certa escuta para que, a partir daí, dada uma determinada situação, os "burros" se revelem ao nosso entendimento e possamos acompanhá-los em seu percurso através da fronteira.

Diz o ditado popular que as palavras são de prata e o silêncio é de ouro. Porém, existem palavras de ouro, porque falam do silêncio que se instaura quando se revela o âmago das coisas. O silêncio que cala as palavras sem sentido, o silêncio diante do fluxo natural da vida, o silêncio que todos experimentamos frente àquilo que é e não pode ser contestado. As palavras de ouro dos contos tradicionais silenciam o cansaço e o círculo vicioso

---

* Idries Shah, *World Tales*, England, Penguin Books, 1979, Introduction.

daquilo que acostumamos a chamar de vida. E fazem soar como milhares de pequenos sinos cristalinos a música eternamente viva de nosso coração.

Convido, então, a todos para que ouçam os inumeráveis sons do silêncio, suas cores, movimentos e formas, tais como se manifestam em nós através da leitura de *O Jardim e a Primavera – A História dos Quatro Dervixes.*

São Paulo, junho de 1993

Regina Machado

Profa. Dra. da Escola de Comunicações e Artes
da Universidade de São Paulo, onde desenvolve pesquisa
sobre técnicas de narrativas e contos da tradição oral

Quando o grande mestre sufi do século XIII Nizamuddin Awliyya estava doente, seu discípulo Amir Khusru — o eminente poeta persa — recitou-lhe esta alegoria sufi. Quando se recuperou, para assinalar este acontecimento, Nizamuddin depositou a seguinte bênção sobre este livro:

"Aquele que ouvir esta história,
pelo poder divino,
gozará de boa saúde".

Mir Amman de Deli verteu o texto para o urdu há quase dois séculos, e desde então, tem sido considerado um clássico deste idioma. O título original é *Bagh o Bahar — O Jardim e a Primavera* —, que, decodificado pelo sistema Abjad,* revela a data em que foi escrito: ano 1217 da Hégira.

É bastante difundida a crença de que a recitação desta história restabelecerá a saúde dos enfermos, e que as dimensões alegóricas das aventuras de dervixes aqui contidas são parte de um sistema de ensinamento que prepara a mente do buscador da verdade para a iluminação espiritual.

Amina Shah

---

* *Abjad*: sistema alfanumérico da língua árabe, semelhante ao da Cabala hebraica.

O Jardim e a Primavera

A HISTÓRIA DOS QUATRO DERVIXES

Como Azad Bakht encontrou os Dervixes

Era uma vez, em Istambul, um grande rei chamado Azad Bakht, que morava num magnífico palácio. Durante seu reinado, os camponeses viviam felizes e satisfeitos, os nobres eram dignos e virtuosos, o exército era forte e destemido, e os sábios de sua corte eram incomparáveis em todo o mundo.

Dia ou noite, as portas de todas as casas permaneciam destrancadas, as pessoas podiam carregar suas bolsas de ouro mesmo nos mais sombrios becos, e em toda a extensão do reino não havia nenhum bandido, ladrão ou vigarista. Os cofres do tesouro real eram repletos de ouro e joias de valor inestimável; os estábulos, cheios de éguas e garanhões das melhores raças; e o país vivia em paz e prosperidade.

Milhares de príncipes de reinos menores pagavam-lhe tributo, e nas regiões mais remotas e distantes os homens abençoavam o nome de Azad Bakht[1] como governante de extraordinária sabedoria e poder.

Mas uma única coisa fora negada ao rei, o que tornava pesado seu coração. Embora tivesse várias filhas muito belas, não tivera um filho, um varão que continuasse sua descendência.

Um dia, ao completar quarenta anos, Azad Bakht descobriu o primeiro fio branco em sua barba. Sentiu-se ameaçado pela velhice e sem nenhuma esperança de progenitura.

---

1. *Azad* é um adjetivo persa que significa "independente", "livre", e serve também para designar uma ordem particular de dervixes — e *bakht* significa "sorte", "fortuna", "destino auspicioso". Assim, a tradução literal do nome Azad Bakht seria "fortuna liberta". Porém, há outras possibilidades de tradução: "afortunada liberdade", "destino livre", "destinado à liberdade", ou ainda, "a manifestação da boa sorte".

"O que fiz, em toda a minha vida", pensou ele em voz alta, "que para mim tenha alguma utilidade? Todos os países que conquistei, os tesouros que reuni, o povo que governo passarão, com o tempo, para as mãos de outra pessoa que não terá meu nome nem será de minha linhagem! Talvez um invasor acabe por dissipar minhas riquezas e dispersar meu povo. Agora, este fio de barba, esse mensageiro da morte, vem lembrar-me que não viverei para sempre sobre a terra. Devo abandonar todas as minhas posses terrenas e tentar viver uma vida simples. Talvez eu possua coisas demais para que Deus me conceda também um filho."

Assim dizendo, vestiu-se com roupas simples e mandou chamar seu grão-vizir.

"Tu e os outros ministros devereis agora encarregar-vos de receber súditos e embaixadores no salão de audiências, agindo como eu mesmo o faria em todos os deveres do Estado. Desejo tornar-me um recluso e entregar-me à reflexão e à prece."

O rei recolheu-se a seus aposentos, e passou a dedicar todo o seu tempo à oração. Vivia apenas de tâmaras e água, recusando-se às fartas refeições que lhe eram oferecidas.

Assim que a notícia de que o rei Azad Bakht renunciara ao mundo espalhou-se país afora, até os confins do reino, rebeliões eclodiram por todos os lados. Príncipes invejosos, agitadores, maus governantes e todos os que até então tinham estado sob controle agora se insurgiam. Pouco a pouco, as notícias da desordem administrativa chegavam à corte; e o vizir e os nobres, ansiosos e preocupados, reuniam-se para conferenciar. Por fim, chegaram à conclusão de que o rei deveria ser avisado, pois assim poderia enviar imediatamente mensagens aos territórios hostis, ordenando o fim do caos.

Khiradmand, o sábio, o antigo e fiel vizir, foi até o rei, curvou-se diante dele, e disse: "Majestade, por longo tempo não fui admitido em vossa presença. Estava ansioso por ver, com meus próprios olhos, vosso estado de saúde".

O rei voltou-se para o velho vizir, que ficou angustiado ao perceber a mudança ocorrida no rosto de seu soberano: a face magra e enrugada, os olhos encovados e brilhantes, como se ardesse em febre.

"Vai, meu bom Khiradmand", disse ele com voz débil. "Não sairei mais deste lugar. Regressa à corte e governa o império. Confio plenamente em ti."

"Senhor", disse o vizir, "a ruína está ameaçando o império devido a vossa ausência no trono. Se firmes decretos não forem enviados por vós aos quatro cantos do reino, muito em breve tudo estará perdido!"

O rei balançou a cabeça e disse: "O sofrimento que carrego em meu espírito está além de qualquer cura". E, tocando sua barba, continuou: "Esses fios brancos, agora cada vez mais numerosos, são mensageiros da morte. Até hoje não gerei um filho homem, porque Deus assim o determinou, deixando-me sem um herdeiro. Resta-me abandonar tudo para viver nos bosques, ou numa caverna nas montanhas e ali passar o resto de meus dias. Quem sabe, dedicando-me à prece e à contemplação, possa obter meu quinhão de felicidade e, com o tempo, esquecer meu único infortúnio".

Dizendo isto, o rei mergulhou no silêncio. O vizir percebeu que seu soberano caíra num estado de profunda melancolia, do qual seria difícil demovê-lo.

"Perdoai a falta de respeito desse escravo", disse ele, "mas em nome de tantos anos de serviços junto a Vossa Majestade, sinto-me no dever de advertir-vos que vagar da floresta à montanha é ocupação de eremitas, não de reis. Deus colocou a vida de milhares de pessoas sob vossos cuidados e vastos domínios necessitam de vossa direção. Que no Último Dia não possa Deus dizer: 'Abandonaste as criaturas que coloquei em tuas mãos, fazendo-te reinar sobre elas?' Como ireis responder, então, ó grande Azad Bakht?"

O rei bateu na testa e respondeu: "Honesto vizir, quão verdadeiro é o que acabas de dizer! Retornarei a meu dever. Tenho sido egoísta, afastando minha mão do leme do governo de forma tão insensata! Vai e diz aos nobres e cortesãos que me reunirei à corte amanhã, e que Deus abençoe tua sabedoria, querido amigo".

No dia seguinte, o rei subiu ao trono com esplendor real, e todos, do mais nobre ao mais humilde, vieram felicitar o soberano por sua recuperação. Logo foram despachadas instruções, de seu próprio punho, a todos os cantos do império, e uma vez mais reinou a paz e a prosperidade.

Mas o coração de Azad Bakht continuava amargurado.

Certo dia, o rei leu em um livro que aquele que se sentisse oprimido por uma dor que nenhum ato humano pudesse curar deveria visitar o túmulo dos mortos. "Pois", lia-se no manuscrito, "não deixaram todos eles para trás suas riquezas e bens, lares e filhos, cavalos e elefantes, e ali jazem sozinhos? Todos esses privilégios terrenos de nada lhes serviram. E como foi que acertaram suas contas com Deus? Se voltares o pensamento para tais coisas, a rosa do coração humano não deixará de florir, e em nenhuma circunstância murchará."

Depois de refletir a respeito, e recordando também as palavras de Khiradmand, seu grão-vizir, o rei julgou que deveria visitar o túmulo de um homem santo para meditar.

Para não chamar a atenção de toda a corte, o rei decidiu ir sozinho, sem comitiva, escolta ou estandarte. Preferiu partir à noite, vestindo roupas de camponês. "Oxalá através da reflexão e contemplando essas boas almas consiga alcançar a salvação", pensou o rei. Então, encoberto pela escuridão da noite, levando uma pequena lanterna e vestido de forma humilde, o rei chegou ao Túmulo dos Mortos e, com um coração sincero, recitou suas preces.

De repente, um forte vento apagou a lanterna e arrancou-a de sua mão, como que por algum tipo de poder mágico. Na escuridão, o rei avistou ao longe uma chama que brilhava como uma estrela, com luz ardente e inabalável. Caminhou em sua direção e, chegando bem perto, divisou quatro figuras sentadas ao redor da chama, vestidas com o manto dervixe de muitos remendos. Eles estavam em silêncio, as cabeças apoiadas nos joelhos, imersos numa atitude que denotava imensa dor. No meio deles, sobre uma pedra, ardia uma lâmpada que o vento não atingia, como que mantida por algum encantamento.

"Irei até esses bons homens e lhes contarei minha história", pensou Azad Bakht. "Talvez se compadeçam de mim e ofereçam uma prece pelo meu sofrimento." Porém, um segundo pensamento lhe ocorreu: "Mas como saberei quem ou o quê são? Podem ser espíritos malignos disfarçados de dervixes, ou da espécie mais baixa de *djinns*[2] que adoram atormentar os seres humanos".

Então, o rei escondeu-se atrás de uma rocha para escutar o que conversavam, antes de apresentar-se a eles.

Um dos dervixes espirrou, e isso despertou os demais, que disseram: "Deus seja louvado!" Outro começou a soprar a lâmpada, fazendo-a arder com mais firmeza e brilho que antes. Eles apanharam seus narguilés e começaram a fumar, cada um reclinando-se sobre seu tapete, até que um deles começou a falar.

"Ó Irmãos da Liberdade!, amigos na mútua dor e peregrinos por esse mundo! Não nos reunimos neste lugar por acidente ou mero companheirismo. Os acontecimentos de amanhã nos são desconhecidos: se ficaremos juntos ou nunca mais nos veremos, ainda não foi decidido. Passemos esta noite conversando, e que cada um conte a sua própria história."

Os outros acenaram em concordância, e o primeiro dervixe começou a falar:

---

2. *Djinn*: "gênio", entidade, benfazeja ou maléfica, intermediária aos anjos e aos homens.

As aventuras do Primeiro Dervixe

Sabei, meus amigos, que o lugar de meu nascimento foi a Terra do Iêmem, e que meu pai era um rico mercador chamado Khwaja Ahmad. Naquela época, não existia mercador tão rico quanto ele; era dono de muitas manufaturas com representantes comerciais em vários países, e o valor de suas mercadorias era incalculável.

Éramos duas crianças — eu e minha irmã — e ela, ao atingir a idade adequada, casou-se com o filho de um mercador de outra cidade. Durante minha infância, recebi uma boa educação e os melhores preceptores ensinaram-me a ler e escrever. Também aprendi contabilidade, disciplina importantíssima na educação de um mercador, além da ciência e da prática das artes militares.

Até os quatorze anos, vivi tempos de muita felicidade, sem que nenhuma preocupação do mundo me alcançasse. Então, de uma só vez, por Decreto de Deus, meu pai e minha mãe morreram, ambos no mesmo ano. Não posso expressar a dor que senti. Não restou adulto algum na família que pudesse olhar por mim. Passei quarenta dias e quarenta noites num estado de profunda tristeza. Meus parentes e os amigos de meu pai, muitos deles até então desconhecidos para mim, reuniram-se para cumprir os rituais fúnebres.

Passados quarenta dias e quarenta noites, das mãos de seus melhores amigos, recebi o turbante de meu falecido pai, e com ele, todos os seus negócios e obrigações. "Neste mundo", disseram-me, "todos estamos destinados a presenciar a morte de nossos pais. Tem paciência, agora deves ocupar seu lugar. Sê cuidadoso em todos os teus negócios e transações". E depois de me cumprimentarem carinhosamente, deixaram-me sozinho para conduzir os negócios.

Todos os empregados, representantes e artesãos curvaram-se diante de mim, como antes faziam com meu pai, e mostraram-me os armazéns e o dinheiro que havia nos cofres. Fiquei assombrado com toda aquela riqueza, e minha imaginação começou a voar alto. Ordenei que preparassem uma sala de recepções, com câmaras decoradas com almofadas, belos tapetes, cortinas e delicados biombos. Tomei a meu serviço elegantes criados e os vesti com os mais suntuosos trajes.

Tão logo assumi o lugar de meu pai, vi-me rodeado por um sem-número de mentirosos e aduladores, charlatães e parasitas. Divertiam-me com histórias de intrigas e leviandades de toda espécie; diziam-me que, enquanto fosse jovem, devia beber os melhores vinhos, comer as mais finas iguarias e desfrutar da companhia das mais belas jovens do reino.

Tudo isso fiz, usando meus melhores talentos. Beber e jogar dados ocupava a maior parte de meu tempo, enquanto os interesses comerciais eram negligenciados. Desse modo, devido à minha imaturidade, tornei-me vítima de minha própria conduta: meus servos apossavam-se de tudo aquilo em que podiam colocar as mãos, e meus companheiros de boa-vida alimentavam todo o tempo a minha corrupção.

Um saque permanente instaurou-se à minha volta. Não havia ninguém para proteger minhas propriedades, ninguém que me aconselhasse ou advertisse. Tampouco havia contabilidade do dinheiro esbanjado, emprestado ou investido em transações obscuras e desonrosas. Nada era registrado nos livros sobre a procedência ou o destino do dinheiro. Enfim, tão fácil quanto veio, foi-se embora. Assim tudo aconteceu.

Tivesse eu os tesouros do rei Midas, não teriam resistido àquela rapinagem. Em poucos anos, todo o meu dinheiro desapareceu, como neve no deserto. Ao invés das belas roupas a que me acostumara, apenas alguns trapos cobriam-me o corpo; e um barrete ordinário, próprio a um criado, era a única proteção para minha cabeça. Aqueles que por tanto tempo partilharam de festas e orgias em minha casa também me abandonaram. E se acaso os encontrava nas ruas, desviavam-se de mim e atravessavam para o outro lado, evitando-me. Em minha terrível e miserável condição, eu os enchia de nojo. Esses eram os mesmos que tantas vezes se entregaram aos prazeres e loucuras da mocidade em minha companhia, que juraram derramar até a última gota de sangue por mim, se tal fosse necessário.

Meus criados foram trabalhar para outros, em troca de melhores ganhos. Minha casa acabou deserta e abandonada, meus armários vazios e meus tesouros roubados por aqueles em quem mais confiara. Não restou ninguém que me perguntasse: "Como podemos ajudar-te nesta penosa situação em que caíste? Sentes fome, sede, solidão?"

O arrependimento era meu único companheiro.

Desfalecendo de fome, à míngua, resolvi pedir ajuda à minha irmã Fátima. "Certamente ela não me deixará morrer desta forma", pensei.

Então, dei-me conta de que, durante todo aquele tempo, não havia respondido a nenhuma de suas cartas, nem mesmo às mensagens de condolências pela morte de nossos pais; por anos, sequer me preocupei em indagar sobre sua saúde. Como procurá-la, agora, ainda mais nesse estado? Iria cobrir nosso nome de vergonha aos olhos de seu marido! Mas tamanha era minha necessidade que não havia escolha. Fui mendigando pelo caminho, até chegar finalmente à sua casa.

Ao tomar conhecimento de minha triste situação, minha irmã chorou, abraçou-me e deu-me sua bênção. Distribuiu moedas e óleo entre os pobres em agradecimento por meu retorno, e presenteou-me com ricas vestes. Depois de banhar-me, comer e descansar, senti-me um novo homem.

Fátima preparou um elegante aposento para mim, próximo ao seu, e cobriu-me de atenções. Pela manhã, criados traziam-me sorvetes de frutas para saciar a sede; para o almoço, frutos secos e frescos; e, à noite, bolinhos de carne, pilau de arroz e pães aromáticos.

Minha irmã servia-me como a mais gentil das servas; com grande zelo, cuidou de mim e trouxe-me de volta o ânimo, fazendo-me esquecer as vergonhosas privações por que passara. Eu agradecia a Deus por minha libertação, e vários meses se passaram em plena paz e tranquilidade.

Certo dia, minha irmã me disse: "Querido irmão, já recobraste inteiramente tua antiga força. Sinto-me muito feliz sabendo que estás melhor. Mas o homem não foi criado para o ócio. Não quero que as pessoas digam que, após ter esbanjado toda a tua fortuna, vives das sobras da mesa de teu cunhado".

Respondi que ela tinha razão, e que faria qualquer coisa que me aconselhasse. Então, com a ajuda de seus criados, Fátima reuniu muitas peças de ouro, e depositou-as diante de mim, dizendo: "Certo mercador está prestes a partir com seu navio para Damasco. Com este dinheiro, compra e despacha algumas mercadorias e segue para lá. Ao chegar, negocia os artigos com algum comerciante, ou vende-os tu mesmo no bazar, conforme melhor te aprouver."

Agradeci, fui aos armazéns e comprei uma considerável quantidade de artigos finos. O mercador, recomendado por Fátima como pessoa honesta, zarpava por mar, enquanto eu me preparava para segui-lo por terra.

Ao despedir-me de minha querida irmã, fui presenteado com um rico manto e um magnífico cavalo árabe, com arreios incrustados de joias preciosas. Fátima deu-me um cantil com água e um alforje repleto de guloseimas, que pendurou em minha sela. Ao final, amarrou um talismã em meu braço, colocando-me sob a proteção de Deus durante a minha jornada.

"Volta são e salvo", disse-me enquanto eu montava. "E que Deus te proteja também", respondi. E nos despedimos.

Depois de uma longa jornada, cheguei ao portão principal de Damasco. O guardião, contudo, não me permitiu a entrada, pois já era tarde da noite.

"Sou um viajante solitário", exclamei através da grade. "Percorri um longo caminho. Meu cavalo e eu precisamos de comida e descanso. Por favor, abre o portão, que sem dúvida encontrarei hospitalidade em algum lugar da cidade."

"Tenho ordens de não permitir a entrada de ninguém a esta hora da noite. Não deverias ter chegado tão tarde. Só poderás entrar ao romper da aurora", disse o homem, fechando o portão com grande estrondo.

Nada havia a fazer senão esperar lá fora. Enrolei-me numa manta e sentei-me recostado à muralha que cercava a cidade.

No meio da noite, não podendo dormir de tanta ansiedade, vi um baú sendo baixado das muralhas da fortaleza. Pensando que alguém se havia apiedado de minha situação e enviado alguma comida, abri o baú assim que chegou ao chão. Porém, em vez de provisões, encontrei nele uma linda mulher, ferida mortalmente, agonizante, a debater-se no próprio sangue. Tão sublime criatura, sofrendo daquela maneira, comoveria até um homem de coração de pedra. Enquanto olhava, horrorizado, seus lábios se moveram e, de seu delírio, entendi apenas algumas palavras:

"Miserável infiel! Tirano perverso! Assim pagas tudo o que fiz por ti? Dá-me o golpe de misericórdia e deixa-me morrer. Entrego a Deus a punição de tua injustiça".

Contemplando seu rosto e ouvindo aquelas palavras, imaginei que espécie de monstro poderia ser tão cruel. Que demônio o possuíra para que fosse capaz de levantar a mão contra aquela linda jovem?

Ela abriu os olhos e, no momento em que seu olhar encontrou o meu, senti o coração estremecer. Nunca vira olhos tão belos.

Emocionado, perguntei-lhe: "Quem és, senhora? E que terrível mal se abateu sobre ti?"

Lenta e debilmente ela respondeu: "Sou tua hóspede por apenas mais alguns instantes, meu espírito está prestes a partir deste mundo. Quando eu morrer, faz deste baú meu ataúde e sepulta-me num lugar calmo, pois assim ficarei livre das boas e más línguas; por tua compaixão, o céu te recompensará".

Seus olhos se fecharam e ela mergulhou no silêncio. Sentei-me a seu lado, recitando minhas preces durante todo o resto da noite, e decidi que, pela manhã, tudo faria para salvar aquela mulher.

O galo cantou, o sol nasceu, e vozes humanas começaram a fazer-se ouvir. Envolvi o baú num pano grosseiro, coloquei-o no lombo de meu cavalo e entrei na cidade. Comecei a indagar a cada homem e comerciante por uma casa que pudesse alugar, e, depois de muita procura, finalmente encontrei. Retirei a bela mulher do baú e deitei-a, vestida como estava, num macio leito acolchoado de algodão. Contratei um criado para cuidar dela e saí à procura de um médico.

"Há um barbeiro", disseram-me, "tão hábil na arte da cirurgia e na ciência médica que se lhe levares um morto, com a ajuda de Deus, ele o ressuscitará. Seu nome é Issa, o Cirurgião."

Caminhei por toda a cidade até encontrá-lo: ele tinha uma longa barba branca e estava sentado sob o pórtico de sua casa, onde vários assistentes trituravam poções em almofarizes.

Cumprimentei-o respeitosamente e disse-lhe: "Senhor, ouvi falar de tuas excelentes habilidades e vim pedir-te ajuda. Saí de meu país acompanhado de minha esposa, de quem nunca me separo, tamanha afeição tenho por ela. Chegamos a esta cidade tarde da noite. Enquanto esperávamos a abertura dos portões, fomos atacados por ladrões, que roubaram todos os meus valores e feriram gravemente minha esposa, arrancando-lhe as joias dos braços e do pescoço. Nada pude fazer para protegê-la. Logo que os portões da cidade se abriram, aluguei uma casa e parti a tua procura. Por favor, peço-te, vem e salva minha esposa, e serei grato pelo resto de minha vida".

Imediatamente, Issa, o Cirurgião, acompanhou-me e examinou a jovem, que jazia como morta; limpou e suturou seus ferimentos, fez curativos com as bandagens que trouxera consigo, e deu-me esperança de que ela sobreviveria.

"Em quarenta dias", disse-me, "os ferimentos estarão cicatrizados. Continua administrando esta essência de almíscar em água de rosas, e alimenta-a com caldo de galinha em pequenas quantidades. Voltarei todas as manhãs e tardes para vê-la."

Agradeci-lhe fervorosamente, e ele partiu. Passei dias e noites a cuidar daquela mulher, rezando por sua cura. O mercador a quem confiara meus bens chegou a Damasco no tempo previsto e entregou-os a mim. Como a ocasião exigia, eu os vendi e comecei a gastar o dinheiro com os medicamentos necessários.

O cirurgião a atendia regularmente e seus ferimentos começaram a cicatrizar. Em pouco tempo, a jovem estava quase restabelecida. Depositei uma rica bolsa de ouro diante de Issa, o Cirurgião, e estendi lindos tapetes e roupas bordadas diante da jovem. Em agradecimento, distribuí dinheiro entre os pobres e necessitados, sentindo-me feliz como se fosse o rei das sete províncias.

A bela dama exibia em suas faces a cor da rosa, e todo seu rosto irradiava saúde. Eu não podia fitá-la sem ficar fascinado. Meu coração lhe pertencia. Dediquei-me totalmente a seu serviço; ela, porém, ciente de sua alta posição, quando se permitia olhar em minha direção, tratava-me friamente.

"O que quer que eu ordene, executa sem objeção", dizia-me. "E cuida de jamais proferir uma sílaba sequer a quem quer que seja, sobre meus assuntos. Do contrário, te arrependerás".

Eu nada fazia sem seu consentimento e não poupava forças para agradá-la, sem nada pedir além de contemplar sua beleza.

Algum tempo depois, tudo o que conseguira com a venda de minhas mercadorias havia sido gasto. Aflito por causa de dinheiro, sendo um desconhecido num país estrangeiro, sabia ser impossível obter um empréstimo. Com quem poderia falar dessas dificuldades? A cada dia, mostrava-me mais ansioso e abatido.

Certo dia, a jovem me disse: "Aprecio tudo o que tens feito por mim, porém neste momento não posso retribuir tua dedicação. Contudo, se te falta alguma coisa para as despesas necessárias, não te preocupes, traze-me papel, pena e tinta".

Tive certeza de que se tratava de uma princesa, do contrário não falaria com tal audácia e altivez. Imediatamente trouxe-lhe o que me pedira. Depois de escrever um bilhete com sua bela caligrafia, ela disse: "Perto do forte, existem três portões em arco. Na rua vizinha mora um certo Sidi Bahar.[3] Vai e entrega-lhe esta mensagem".

Seguindo suas indicações, logo encontrei a casa. Disse ao porteiro que trazia uma mensagem. Então, um jovem negro de beleza incomum veio em minha direção e tomou o bilhete de minhas mãos e, sem nada dizer, entrou na casa. Em pouco tempo, ele retornou acompanhado de alguns escravos, que carregavam onze cofres lacrados cobertos de veludo brocado.

"Ide com este jovem", disse aos criados, "e entregai estes cofres."

Com uma saudação, despedi-me do negro, e conduzi os criados até minha casa. Os cofres foram levados para dentro e os criados partiram. Ela removeu os lacres e colocou diante de mim onze bolsas de ouro, dizendo: "Toma estas moedas para as despesas. Deus é mais generoso!"

"Que estranho parece tudo isto!", pensei olhando aquele tesouro. "Deus é realmente generoso!" Nada pude perguntar sobre a proveniência daquele dinheiro e nem como a entrega de um simples pedaço de papel permitiu que tão vasta fortuna ficasse a meu dispor.

Após oito dias, ela me disse: "Embora roupas esfarrapadas não depreciem teu valor, aquele que aparece maltrapilho em público não é respeitado. Assim, toma estas duas bolsas de ouro, vai à loja de Yussuf, o Mercador, e compra os trajes mais luxuosos e joias da melhor qualidade para ti".

Montei meu cavalo e fui à loja indicada. Lá encontrei um belo jovem, trajando um manto cor de açafrão, sentado em uma almofada; cumprimentei-o e enumerei os artigos que desejava.

O jovem mercador respondeu polidamente: "O que quer que precises, estará à tua disposição. Mas, dize-me, de onde vens e qual o motivo de tua permanência em Damasco?"

---

3. *Sidi Bahar*: deriva de sid, ou cid, possivelmente uma corruptela do árabe *seyed*, "senhor"; e do persa *bahar*, "primavera"; portanto, "senhor da primavera".

Eu não podia contar-lhe sobre a bela jovem e tudo o mais que ocorrera, de forma que inventei uma breve história, apanhei as roupas e as joias e paguei. Estava prestes a partir, quando o jovem, parecendo ofendido, disse: "Senhor, não é costume entre pessoas bem-nascidas demonstrar tal frieza, mesmo quando desejam manter reserva sobre seus assuntos particulares".

Ele parecia tão perturbado com minha saída que julguei ser descortês partir com tanta pressa; então, sentei-me novamente, dizendo: "Estou à disposição e agradeço tua hospitalidade".

Satisfeito com a minha aquiescência, ele sorriu e disse: "Se quiseres honrar minha humilde casa com tua presença hoje, poderemos passar juntos algumas horas agradáveis".

Desde minha chegada à cidade, nunca deixara minha bela dama sozinha por tanto tempo e, pensando que poderia sentir minha falta, comecei a buscar pretextos para minha recusa. Mas o jovem não me permitiu partir sem antes prometer retornar tão logo deixasse minhas coisas em casa. Fui para minha casa e mostrei as compras à minha senhora; contei-lhe tudo o que acontecera e pedi sua permissão para comparecer à recepção daquela noite.

"Fizeste uma promessa", disse-me. "Deixa-me sob a proteção de Deus e aceita a hospitalidade que te é oferecida."

"Não desejo partir, mas cumprirei a palavra dada. Até minha volta, meu coração estará preso a este lugar."

Assim dizendo, fui até a loja do mercador que, sentado numa cadeira de ébano, esperava-me ansioso.

"Acompanha-me, senhor", disse-me, "deixaste-me esperando por um longo tempo."

Ele se levantou e conduziu-me a um belíssimo jardim, onde chafarizes jorravam nas fontes e canais. Frutos cresciam por toda parte e pássaros de todas as espécies cantavam nos ramos das árvores. Tapetes persas da mais pura seda cobriam o grande pavilhão situado bem no centro do jardim. Em seguida, meu anfitrião pediu licença para retirar-se e, momentos depois, voltou vestindo um suntuoso manto de beleza indescritível.

"Que o mau-olhado possa ser afastado!", exclamei.

"Tu também deves vestir-te convenientemente", respondeu-me sorrindo.

Escravos levaram-me para um outro aposento e deram-me um traje ainda mais rico que o de meu anfitrião. Nossa conversa foi amável; a hospitalidade e a comida, as mais refinadas que até então provara, e ele era muito caloroso na expressão de sua amizade por mim.

Um copeiro apareceu trazendo uma ânfora de vinho e uma taça de cristal. Os diferentes pratos se alternavam, e a cada momento uma iguaria ainda mais deliciosa era servida. A cintilante taça tornou a circular, e quatro dançarinos com vestes amplas e ondulantes entraram no pavilhão e começaram a cantar e dançar. Em meio a esta festividade, os olhos do jovem mercador encheram-se de lágrimas, que, para minha aflição, escorriam grossas e rápidas pelo seu rosto.

"Entre nós, formou-se uma amizade para toda a vida", disse-me. "Vou compartilhar um segredo contigo, no sigilo desta amizade. Com tua licença, mandarei chamar minha amada, pois sem ela não posso desfrutar prazer algum."

"Manda buscá-la sem demora", respondi, "pois a tua felicidade é a minha."

O jovem mercador fez um sinal e pelo cortinado da porta entrou uma velha decrépita, feia como uma ogra, de aparência tão medonha que uma pessoa poderia morrer pelo choque de vê-la pela primeira vez. Fiquei apavorado ante aquela horrível visão; ela, porém, sentou-se tranquilamente ao lado de meu amigo.

"Como pode esta mulher que mais parece um demônio ser tão amada e louvada por este belo jovem?", eu pensava, sem poder acreditar no que via.

Murmurei uma fórmula de exorcismo e guardei silêncio. A bruxa ria sem pudores, mostrando todos os dentes, ou a falta destes, enquanto meu anfitrião era tomado por arrebatamentos de prazer.

O festivo espetáculo de vinhos e música continuou por três dias e três noites; no quarto dia, adormeci de pura exaustão.

Na manhã seguinte, o jovem mercador acordou-me com um cálice de refresco gelado, e disse à sua velha amante: "Seria impróprio reter nosso hóspede por mais tempo".

Agradecido, vesti minhas próprias roupas e despedi-me. Estava aflito e envergonhado por haver deixado minha senhora sozinha por tanto tempo, e, ao chegar em casa, implorei seu perdão.

"Conheço bem os caminhos do mundo", disse ela sorrindo. "Que mal pode haver em aceitar um convite e assim honrar um amigo? Mas, tendo provado sua hospitalidade, creio que deverias, em troca, convidar o jovem mercador para uma festa, dando-lhe em dobro o que dele recebeste. Podes confiar em mim, providenciarei tudo o que for necessário."

Então, fui ao mercador e convidei-o à minha casa; muito feliz, ele aceitou prontamente.

Ao regressar, fiquei surpreso com o grande alvoroço em volta da casa. A rua fora varrida e lavada e porteiros com estandartes de prata guardavam a entrada. As mais ricas tapeçarias foram estendidas em todos os aposentos, e almofadas bordadas estavam arrumadas no salão de recepções.

Dos nichos das paredes pendiam frutas e doces de rara qualidade. Luminárias em forma de cipreste e lótus estavam acesas, velas perfumadas ardiam em candelabros dourados, e cada criado ocupava seu posto. Na cozinha, escutava-se o som das panelas e o tilintar das jarras com gelo colorido onde eram preparados sorvetes de frutas, e o mais delicioso aroma flutuava no ar.

Tudo estava pronto para uma festa principesca: dançarinos e bailarinas, cantores, músicos e acrobatas vestindo ricas e reluzentes roupas cantarolavam enquanto esperavam sua vez.

Conduzi o mercador para dentro, e ele ficou inteiramente assombrado, assim como eu, que julguei espantoso estar tudo tão bem arranjado e em tão pouco tempo.

Não pude ver sinal algum de minha amada; finalmente, encontrei-a na cozinha, com roupas simples, dando ordens para o banquete. Aproximei-me e agradeci por tão magnífica recepção, invocando bênçãos sobre ela.

Porém, ofendida com minhas palavras, ela disse: "O que fiz para que ficasses tão surpreso? Basta!, essa conversa não me agrada. Que modos são esses, ficas aqui conversando enquanto descuidas de teu hóspede? Vai e ordena que tragam a amante do mercador para que venha juntar-se a ele".

Prontamente, voltei até meu convidado e dediquei-lhe toda a atenção e cortesia. Dois escravos apareceram trazendo vinho e duas taças, e, enquanto bebíamos, disse-lhe: "Manda um recado à tua amante, para que venha desfrutar desta noite contigo". Ele ficou extremamente agradecido, e deu instruções a um eunuco para que fosse buscá-la.

A megera chegou numa luxuosa liteira, e embora estivesse vestida de finos brocados, minha mente não conseguia fixar-se na sua figura, tão perversa a aparência: os olhos pequenos e avermelhados, a barba bem visível no queixo; o pescoço enrugado estava coberto de joias, as mãos retorcidas ostentavam anéis em todos os dedos, e das orelhas disformes pendiam esmeraldas de grande valor.

Recepcionei-a com simulada amabilidade, mas a repulsa que sentia por sua aparência persistia. O belo mercador, ao vê-la, foi tomado por um imenso prazer, e a bruxa pendurou-se em seu pescoço. Todos os olhos estavam voltados na direção dos dois, e cada convidado comentava com seu vizinho: "É claro, ele deve vê-la como Laila aos olhos do pobre e louco Majnun!".[4] E todos concordavam com isso.

---

4. Majnun significa, em árabe, "louco". É também o nome do célebre personagem da literatura árabe: Majnun é impedido de buscar sua amada, Laila, e enlouquece de amor; abandona todas as riquezas do mundo e passa a vagar sozinho no deserto, entre as feras. Na poesia mística, o termo *majnun* é usado frequentemente para designar aquele que foi arrebatado pelo amor divino, e que, não agindo de acordo com os padrões pré-estabelecidos de comportamento, é tomado por insano.

Entre cenas de grande festividade, três dias e três noites se passaram. Na quarta noite, o jovem mercador disse-me: "Devo pedir-te agora permissão para partir, pois por tua amizade negligenciei completamente meus negócios. Por favor, senta-te a meu lado por mais alguns instantes e ficarei muito feliz".

Desse momento em diante, as taças de vinho circularam com tal rapidez que logo perdi os sentidos.

Quando amanheceu, acordei com uma terrível dor de cabeça e fiquei surpreso ao notar que nada restava da beleza e do encantamento das noites anteriores. A comida, a prata, os criados, os móveis, tudo havia desaparecido. A casa estava deserta, a não ser por um grande fardo num canto da sala. No estado em que me encontrava, ainda tonto, caminhei até lá e puxei os panos que cobriam o estranho volume. Vi, então, para meu horror, os cadáveres do jovem mercador e da velha e horrenda mulher, sua amante, ainda enfeitada com todos os seus ornamentos e joias.

Fiquei em estado de choque. Cambaleei até a porta, vi um servo e perguntei-lhe o que, em nome de Deus, acontecera.

"Que diferença fará ouvir qualquer explicação?", respondeu-me friamente.

Percebi a verdade de suas palavras e perguntei-lhe onde estava minha amada. "Contarei tudo o que sei", respondeu-me, enigmaticamente, "mas é inacreditável que te tenhas entregado a tão pesada embriaguez sem a permissão de tua anfitriã."

Eu estava muito envergonhado de minha insensatez e implorei ao homem que me indicasse o lugar onde poderia encontrar minha amada.

O homem, um pouco mais amistoso, deu-me um endereço e saiu para enterrar os dois corpos.

Depois de encontrar a casa, esperei do lado de fora um dia e uma noite, numa expectativa angustiante. Até que, com a luz da aurora, ela apareceu à janela. Senti uma grande alegria e louvei a bondade de Deus por encontrá-la sã e salva.

Um de seus servos veio a mim e disse: "Vai à mesquita vizinha, ora e aguarda, talvez consigas realizar o desejo de teu coração".

Foi uma longa espera, olhando para a porta da mesquita com grande ansiedade por mais um dia inteiro.

Ao anoitecer, o servo que me havia dado o endereço apareceu. Acompanhou-me a um pequeno jardim e disse: "Fica aqui até que possas alcançar teu desejo".

Passei o tempo admirando as flores, o brilho da lua cheia, a dança das fontes ao luar. Tudo evocava minha amada. Neste momento, ela entrou no jardim, usando um lindo vestido bordado em pérolas e coberta da cabeça aos pés com um véu de seda azul. Sentou-se numa cadeira e eu corri a seu encontro, prostrei-me a seus pés, os braços cruzados, como um escravo, oferecendo-lhe minha vida.

O servo, que era seu camareiro, intercedeu por mim pedindo-lhe que me perdoasse.

"Sou culpado", confessei-lhe, "e qualquer que seja o castigo, eu o aceitarei."

A bela senhora, visivelmente indignada, dirigindo-se ao servo, disse com altivez: "Agora, o melhor a fazer por ele é dar-lhe uma bolsa com cem moedas de ouro, para que coloque seus negócios em ordem e possa retornar a seu país". Ela sequer olhou em minha direção.

Ao ouvir essas palavras proferidas com tal indiferença, senti-me como um bloco de pedra, e o mundo inteiro tornou-se opaco para mim.

"Se almejasse a riqueza do mundo", declarei revoltado, "teria devotado minha vida a ti e a teus desígnios? Será que mereço tão pouco reconhecimento para que demonstres somente desprezo por mim? A vida de nada me serve. Que recurso resta ao amante, se sua amada não lhe crê?"

"O quê?!" ela exclamou. "Tu, meu amante? Ó tolo! Bocas pequenas não devem pronunciar grandes palavras. Cala-te! Se algum outro tivesse proferido tal absurdo, eu o mandaria esquartejar.

Mas que hei de fazer? Teus serviços me vêm à memória. É melhor tomares já o caminho de volta à tua casa."

Respondi que jamais trairia meu coração, e que estava fadado a vagar pelos bosques e montanhas até o dia de minha morte.

Quando finalmente esgotei meus lamentos, ela disse: "Insinuações e elogios absurdos em nada me agradam. Vai e repete-os àqueles que estão dispostos a ouvi-los". E retirou-se sem olhar para trás.

Uma vez mais, implorei que me ouvisse, mas não obtive resposta. Então parti, triste e sem esperança.

Por quarenta dias e quarenta noites, percorri cada uma das ruas e vielas de Damasco; vaguei pelos bosques até se esgotarem minhas forças e voltei à cidade. Não cuidava de me alimentar durante o dia, nem de dormir à noite. Transformei-me numa espécie de lunático. Debilitado, fui deitar-me ao lado do muro daquela mesma mesquita, e lá permaneci.

Até que, certo dia, o camareiro de minha dama, indo fazer suas preces, passou perto de mim e ouviu-me repetir: "Dá-me forças para suportar essa dor aguda no coração, ou dá-me a morte".

Embora estivesse muito mudado, o camareiro reconheceu-me. "Mas em que estado te puseste!?", disse amavelmente.

O homem entrou, recitou suas preces, e, ao sair, chamou dois escravos e ordenou-lhes que me levassem numa liteira à casa da mulher indiferente.

Apesar de minha aparência deplorável, ela imediatamente me reconheceu. Porém, fingindo o contrário, perguntou ao homem quem eu era. O camareiro respondeu que se tratava daquele mesmo desafortunado, que vivera apenas para ela, e que, quanto mais tentava esquecê-la, mais insuportável sua vida se tornava.

Zombando, ela disse não acreditar ser eu o homem à sua frente, pois há muito tivera notícias, por seus emissários, que eu havia retornado à minha própria terra.

O homem insistia em confirmar minha identidade. Ainda insistindo em sua dissimulação, ela ordenou que me fossem dispensados todos os cuidados até minha plena recuperação, quando então faria maiores investigações a meu respeito.

Suplicamos, eu e seu criado, que desse outra demonstração de sua benevolência. Ela buscou, então, o auxílio dos médicos que, após prolongados exames, concluíram que eu estava doente de amor: somente a união com o ser amado me poderia curar.

Ao ouvir isto, ela ordenou que eu fosse banhado e vestido; e quando fui levado novamente à sua presença, pediu que eu lhe revelasse tudo o que havia em meu coração.

Ó dervixes! Eu estava tão excitado que mal cabia em mim de tanto contentamento.

"Submeto-me às tuas ordens", disse-lhe. "Permite-me ficar contigo. Ressuscita-me!"

Sem outro recurso para salvar-me, ela ordenou que trouxessem um magistrado, e nos casamos.

Daquele momento em diante, senti que todos os meus problemas haviam desaparecido. Porém, meu espírito continuava perplexo: fui possuído por uma grande necessidade de conhecer os mistérios que explicassem os acontecimentos dos quais tinha participado. Por causa deste desejo, o casamento não se consumou.

Na manhã seguinte, observando meus modos, ela perguntou qual o motivo de minha agitação. Expliquei que me sentia inquieto, pois não era capaz de entender absolutamente nada do que havia acontecido desde que nos conhecêramos.

Ela advertiu, mais uma vez, que não me intrometesse em seus assuntos. E, ante minha insistência, afirmou que a revelação de seu segredo poderia causar grandes transtornos. Sem que isso me dissuadisse, ela aceitou, por fim, contar sua história.

A história da Princesa de Damasco

Sou a única filha do rei de Damasco. Fui cercada de todos os cuidados e, por muitos anos, não conheci sequer um momento de tristeza. Mas, com o tempo, meu temperamento foi mudando, e tornei-me melancólica e infeliz.

Certo dia, um de meus servos sugeriu que eu bebesse uma certa poção, dizendo que traria de volta meu bom temperamento. Concordei em experimentá-la e um jovem copeiro trouxe-me um cálice, que sorvi de um só gole. Senti um novo ânimo e ordenei que a poção me fosse trazida todos os dias, sempre à mesma hora. Havia algo de muito estranho naquela bebida, que me fazia rir e brincar. Com o tempo, comecei a nutrir grande afeição pelo jovem copeiro e, para agradá-lo, dava-lhe grandes somas de dinheiro; no entanto, o jovem sempre aparecia com as mesmas roupas sujas.

Certo dia, perguntei-lhe por que não se vestia melhor. Respondeu-me que tudo o que ganhava era tomado por seu amo. Ordenei, então, que ele recebesse alimento, vestes e instrução em minha própria casa. Em pouco tempo, ele tornou-se meu companheiro de todos os dias.

Os anos se passaram e este menino tornou-se homem, e os servos reais não mais permitiram sua entrada nos aposentos femininos do palácio. Esta decisão deixou-me desolada, mas não parecia haver meio algum de continuar com suas visitas. Como última prova de minha afeição, ordenei a meu tesoureiro que desse milhares de peças de ouro ao jovem, o suficiente para que se instalasse como joalheiro no mercado, e ainda adquirisse uma bela casa, servos e excelentes artigos para vender.

Não muito tempo depois, ele se tornou um joalheiro de sucesso, chegando praticamente a monopolizar o comércio de joias da capital. Todas as pessoas importantes, inclusive os membros da corte, eram seus compradores.

Eu o havia ajudado a ter uma vida próspera e feliz, e ainda ansiava por sua companhia. Assim, concebi um plano. Instruí meus servos a cavarem um túnel de sua casa até meu palácio, de maneira que me pudesse visitar. Isto foi feito e, desde então, passamos a nos ver todas as noites.

Um dia, meu empregado foi buscá-lo, mas voltou sozinho e informou-me que o jovem recusara-se a vir, permanecendo em seus aposentos, triste e desconsolado. Ordenei ao empregado que voltasse e lhe dissesse que, se não viesse imediatamente, eu iria até ele, mesmo correndo todos os riscos de ser descoberta.

Ante meu apelo, o jovem mercador veio a meu encontro, mas havia nele uma frieza que nunca sentira antes. Perguntei a causa de seu abatimento. Ele explicou-me que havia uma linda casa à venda, bem no centro da cidade, não muito longe do palácio, que possuía maravilhosos jardins, com os quais sempre sonhara. No entanto, o preço era exorbitante, muito além de seus recursos, pois, juntamente com a casa, estava sendo vendida uma formidável cantora, e o proprietário não venderia uma sem a outra. Ele precisaria, portanto, de mais de um milhão de peças de ouro para adquiri-la.

Quando ordenei que a casa lhe fosse comprada, ele se transformou imediatamente e voltou a seu ânimo habitual. Continuou a visitar-me todas as noites, mostrando-se alegre por estar em minha companhia.

Na primavera seguinte, decidi ver com meus próprios olhos o maravilhoso jardim de que tanto falara meu amado. Levando comigo apenas uma criada, percorri o túnel que ligava meu palácio à sua casa. Lá chegando, fui diretamente ao jardim, onde encontrei meu jovem amante. Ele levou-me para ver a maravilhosa iluminação, os pássaros, as plantas e tudo mais desse delicioso lugar, cuja beleza era digna de um conto de fadas.

"Sentemos naquele balcão", disse-me, indicando um nicho do jardim.

De repente, enquanto olhávamos as luzes da cidade espalharem-se à nossa volta, uma velha bruxa enrugada e disforme, com uma estranha garrafa na mão, surgiu diante de nós. Assombrada, perguntei quem era ela. O jovem respondeu: "É a fascinante e excepcional mulher que adquiri juntamente com esta propriedade, graças à tua generosidade".

Mal pude esconder minha ira e meu desapontamento. Mas, antes que pudesse manifestar qualquer reação, embriagaram-me com a poderosa poção daquela maldita garrafa, e minha cabeça começou a girar. Senti-me completamente dominada e minha vontade me abandonou. Fiquei a olhar os dois, que passaram a se comportar de uma maneira cada vez mais grosseira.

Com muito esforço, consegui regressar à minha casa, enojada com a experiência que acabara de ter.

Instigado pela velha bruxa, o jovem concluiu que seria perigoso demais deixar-me escapar com vida. Correu atrás de mim e, jogando seu turbante a meus pés, implorou meu perdão. Enfeitiçada como estava, cedi. Então, fizeram-me beber mais de seu vinho, e logo perdi os sentidos. Completamente indefesa, o jovem trespassou-me com sua espada, pensando que me havia matado.

Tomada por uma dor lancinante, abri meus olhos e lhe disse: "Tive a recompensa merecida por meus próprios atos. Salva-te do preço de minha morte. Lava o sangue de tuas roupas e guarda segredo deste crime. Sabe que te fui fiel até mesmo na morte". Finalmente, pedi a Deus pelo jovem que me traíra e perdi a consciência.

Certo de que já estava morta, ele colocou-me naquele baú de madeira e desceu-o pelas muralhas da cidade, conforme presenciaste.

Por ter buscado apenas o prazer nas pessoas, cheguei a este estado. De certo modo, Deus provocou minha morte para depois trazer-me de volta à vida.

Lembra-te que, ao me encontrares, não mediste esforços ou recursos para salvar-me. Então, quando vi que estavas empobrecendo, enviei-te a Sidi Bahar, que na verdade é meu tesoureiro, para que te desse o dinheiro. Mais tarde, acabei por conduzir-te à loja de Yussuf, o jovem mercador de joias, sabendo que se tornariam amigos, e que algum dia o convidaria para comer em tua casa. Atraindo-o através de ti, combinei com meus servos todos os preparativos para uma prodigiosa recepção para ele.

Tudo isto só foi possível porque meu pai, o rei, está fora numa longa jornada por seus domínios, e por isso fui capaz de ausentar-me de casa por tanto tempo. Sidi Bahar levava notícias minhas à minha mãe, a rainha. Ela estava extremamente aflita e reprovava-me, dizendo que eu estava a ponto de destruir a integridade do trono. Mas, vendo que não desistia do meu intento, concordou em ajudar-me na vingança contra o jovem e a horrível bruxa, enviando seus empregados para a recepção daquela noite.

E foi para realizar esta vingança que sugeri o convite à velha bruxa. Quando todos, inclusive tu, estavam embriagados e sem sentidos, ordenei a uma mulher de minha guarda pessoal que cortasse a cabeça dos dois infiéis, por tentarem assassinar-me.

Apesar de teres sido o instrumento de meu ardil, fiquei irada contigo por te envolveres numa orgia de vinho com gente que mal conhecias.

Agora que já sabes toda a história, penso que nenhum de nós deve permanecer nesta cidade. Daqui em diante, tu és teu próprio senhor!

O Primeiro Dervixe conclui sua história

Escravos de Deus! Mais uma vez, submeti-me à minha amada. "Toma-me como teu servo", disse-lhe, "farei qualquer coisa que desejares."

Meu amor e minha submissão finalmente tocaram seu coração; a princesa ordenou que fossem trazidos os dois cavalos mais velozes dos estábulos reais. Ao anoitecer, ela vestiu-se como um homem e, fortemente armados, iniciamos nossa jornada. Por vários dias, cavalgamos sem descanso, parando apenas para caçar animais e colher frutos silvestres. Durante todo o tempo, a princesa me advertia: "Pensando em teu bem, deixei meus pais, meu reino, minha honra, tudo, enfim. Que nunca aconteça de te portares de maneira desleal para comigo".

"Nem todos os homens são iguais. Eu te amo", assegurei-lhe. "Sem dúvida, havia algo errado com aquele que te traiu. Meu destino te pertence; tudo o que possuo é teu. Põe-me à prova e verás que não fraquejarei."

Chegamos a uma planície árida e deserta, onde nada se movia; não havia sinal algum de vida à nossa volta, nem nada que nos pudesse servir de abrigo. Porém, bastava-me a presença de minha amada para que aquela paisagem inóspita se tornasse atraente para mim. Após uma longa caminhada, finalmente alcançamos as margens de um rio muito largo, de aspecto aterrador; parecia não haver maneira de atravessá-lo. Decidi procurar um barco ou um lugar por onde pudéssemos vencer a forte correnteza, e sugeri à princesa que esperasse por mim. Ela respondeu que estava cansada e faminta, e que não faria outra coisa senão aguardar ali mesmo por meu retorno. Deixei-a descansando sob uma grande árvore e parti. Percorri quase toda a margem do rio, sem encontrar solução.

Horas depois, quando retornei ao lugar onde a deixara, a princesa havia desaparecido. Procurei-a por toda parte; não estava sob a grande árvore, nem em lugar algum que meus olhos pudessem avistar. Fiquei completamente desesperado, rasguei minhas roupas e tornei-me um faquir, vagando como um louco pelo mundo.

Um dia, chegando ao topo de uma montanha, uma ideia surgiu em minha mente: atirar-me lá de cima, dando fim à minha existência e àquele insuportável tormento. Estava a ponto de lançar-me aos rochedos, quando senti alguém tocar meu ombro. Voltei-me e vi um cavaleiro todo vestido de verde — um véu verde cobria seu rosto.[5]

"Por que queres destruir tua vida?", disse o cavaleiro. "Teu desespero é falta de fé em Deus. Daqui a poucos dias, três dervixes estarão reunidos em Rum. Como tu, eles estão em dificuldades, e, também como tu, sofreram experiências semelhantes. O rei de Rum, Azad Bakht, também se encontra em grande aflição. Quando vos encontrardes, o desejo de vossos corações será alcançado."

---

5. O cavaleiro verde é aqui identificado a Ali, o quarto califa, primo e genro do profeta Muhammad, e, por isso, segundo o xiísmo, é o portador da centelha divina. Na literatura sufi, o cavaleiro verde é Khidr (ou Hidr), o mestre espiritual invisível que, tendo alcançado a Fonte da Vida e bebido da água da imortalidade, não conhece a velhice ou a morte. É o "Eterno Adolescente", guardião da Fonte que restitui a vida, e seu nome significa "o Verdejante". Segundo alguns comentaristas, é ele quem aparece na sura XVIII (vers. 60-82) do Corão como guia de Moisés e depositário da ciência divina superior à lei (*shari'at*). Presente em diferentes tradições e culturas sob diversos nomes, o cavaleiro verde é também identificado ao profeta Elias, que foi arrebatado por uma carruagem de fogo e levado aos céus, e por isso permaneceu jovem; ou ainda a São Jorge, aparecendo como personagem até mesmo em algumas histórias do Ciclo do Rei Artur.

Agarrei seus estribos e beijei-os, dizendo: "Ó Amigo de Deus! Tuas palavras me consolam. Por favor, em nome de Deus, o Misericordioso, dize-me quem és?"

"Eu sou Ali. Minha missão é socorrer todo aquele que estiver em dificuldades!"

Graças a essa intervenção, senti-me encorajado e, seguindo o conselho desse Guia espiritual, segui rumo a Istambul, em Rum.

Após as privações dessa nova jornada, eu vos encontrei. Estamos reunidos. Temos conversado. Só nos falta encontrar o rei Azad Bakht. Quando isto acontecer, certamente alcançaremos o desejo de nossos corações.

Ó Guias espirituais!, rezemos para que nossas dificuldades possam ser dissipadas.

Depois de escutar atentamente esta narração, Azad Bakht, ainda escondido, começou a ouvir a história do Segundo Dervixe.

As aventuras do Segundo Dervixe

Quando chegou a vez do Segundo Dervixe, ele iniciou sua história com este canto:

> Amigos, escutai do princípio ao fim. A história de um faquir. Sabei o que médico algum pode curar: Dor além de qualquer alívio.

Ó vós que vestis o manto dervixe! Sou o príncipe da Pérsia, um maravilhoso país que produziu grandes homens. Lá fui criado, e aos quatorze anos já era versado em todas as artes e ciências por nós conhecidas.

Eu cultivava o hábito de ouvir contos de países longínquos e passava meu tempo conversando com pessoas ilustres, das quais aprendi coisas de grande valor.

Certo dia, um de meus companheiros argumentou que, embora os homens fossem indignos de confiança, alguns atos humanos tinham o poder de perpetuar um nome até o Dia da Ressurreição. Manifestando interesse pelo que dizia, desejei saber mais sobre isso. Então, esse homem sábio contou-me a história de Hatim Tai, o mais generoso homem que existiu.

A generosidade de Hatim Tai

Era uma vez, um rei árabe chamado Naufal que, por inveja, ordenou a seus soldados que atacassem os domínios de Hatim Tai,[6] o soberano de um país vizinho, com o único propósito de matá-lo. Mas o rei Hatim decidiu que não tinha direito de derramar sangue inocente só para manter sua posição, e abandonou seu palácio para esconder-se numa gruta nas montanhas, esperando com isso não apenas resguardar sua própria segurança mas a de seus súditos.

Assim que Naufal, seu inimigo, ouviu dizer que Hatim Tai havia desaparecido, apossou-se de seu reino e de todas as suas propriedades, e ofereceu uma recompensa de quinhentas moedas de ouro pela captura do rei.

Um dia, um velho muito pobre e sua mulher estavam apanhando lenha perto da gruta onde se encontrava Hatim. A mulher, lamentando sua miserável condição, disse: "Se ao menos pudéssemos encontrar Hatim Tai e levá-lo até Naufal, ficaríamos ricos e nossos sofrimentos teriam fim".

"E como esperas que algo assim possa acontecer para mudar nosso destino?", perguntou ironicamente seu marido.

---

6. Hatim Tai: em persa, *hatim tai* significa "ordenador (ou comandante) da tribo de Ta"; porém, em árabe, *tai* significa "oculto" ou "intenção"; assim, em tradução aproximada, Hatim Tai, além de símbolo da generosidade, pode ser traduzido como "ordenador oculto".

Hatim Tai, que ouvira a conversa por acaso, saiu de seu esconderijo e disse: "Amigo, eu sou Hatim Tai. Leva-me até Naufal e recebe a recompensa".

"Certamente isso iria garantir nosso conforto", respondeu o velho surpreso. "Mas o que acontecerá contigo? Não poderia ter minhas mãos manchadas com teu sangue; independentemente do tempo que me resta para viver, ainda assim terei de responder a Deus por meus atos."

"Mas seria por minha livre e espontânea vontade e tu não poderias ser censurado de modo algum", replicou Hatim.

O ancião recusou-se repetidas vezes a delatar seu soberano ao inimigo, até que Hatim Tai o ameaçou: "Se não me entregares, eu mesmo irei a Naufal e direi que tu me escondias na gruta da montanha".

Enquanto o velho protestava contra tal atitude, outras pessoas que passavam por perto, ao ouvirem a discussão, aproximaram-se e, reconhecendo seu antigo soberano, prenderam-no e levaram-no a Naufal. O velho seguiu atrás deles, lamentando-se em voz alta com sua esposa. Quando chegaram ao palácio, Naufal perguntou quem o havia capturado. Imediatamente um oportunista se apresentou: "Quem, senão eu?"

Porém, um outro reivindicou para si o mérito pela captura de Hatim Tai, descrevendo em detalhe as dificuldades que enfrentara para isso. Assim, em pouco tempo, várias pessoas reclamavam a recompensa.

O pobre velho permanecia calado, chorando em silêncio por Hatim, seu único e verdadeiro rei, até que o prisioneiro falou: "Eis a verdade: este ancião é o responsável por minha captura. Este é o meu testemunho, que pronuncio com minha própria boca".

"Dêem-lhe a recompensa", bradou Naufal, e chamou o lenhador para perto de si, ordenando-lhe que relatasse os verdadeiros fatos, o que o velho homem fez corretamente do princípio ao fim.

Ao tomar conhecimento da verdadeira história e da extrema generosidade do rei foragido, Naufal, atônito, disse: "Hatim Tai, tua generosidade não se deteve nem mesmo ante a perda de tua própria vida!"

O usurpador compreendeu, então, que alimentar sentimentos de inimizade contra um homem do caráter de Hatim Tai estava longe de corresponder à condição de um homem de valor. E, tomando Hatim pela mão, disse: "Se teu ser é assim, por que tu deverias ser diferente?"

Em vez das quinhentas moedas, os mentirosos receberam igual número de chicotadas. Por fim, Naufal deu a recompensa ao velho lenhador e restituiu o reino a Hatim Tai.

O Segundo Dervixe conclui sua história

Ao ouvir esta narração, percebi que, se Hatim Tai, um sheik de uma tribo árabe, foi capaz de inscrever, por atos individuais, seu nome de forma tão gloriosa na História, certamente eu, príncipe da Pérsia, poderia alcançar bênção semelhante.

Decidi, então, guiar-me pelo dito, segundo o qual "o que um homem dá nesta vida terrena, certamente receberá na outra".

Assim, imediatamente, ordenei a construção de um imenso templo com quarenta portas. Quando o edifício ficou pronto, passei a sentar-me diante de suas portas para distribuir dinheiro a qualquer um que o desejasse.

Eis o que aconteceu:

A História do Dervixe e do Faquir[7]

Certo dia, um faquir entrou por uma porta e pediu-me uma moeda de ouro. No dia seguinte, o mesmo faquir entrou pela segunda porta e pediu-me duas moedas. Apesar de perceber que se tratava do mesmo homem, não deixei de dá-las. Ele passou a entrar no edifício diariamente, porta após porta, sempre aumentando seu pedido em uma peça de ouro. Até que, chegando à quadragésima porta, reivindicou nada menos que quarenta moedas. Eu o atendi e, no dia seguinte, lá estava ele junto à primeira porta, pedindo novamente uma moeda de ouro.

"Escuta-me, ó faquir!", disse-lhe irritado. "Que espécie de sujeito cobiçoso és tu? Tua conduta deveria estar de acordo com o nome que adotaste".

"Muito bem!" ele disse ironicamente. "Então, dize-me o que isso significa."

"Significa abstinência, recolhimento, contentar-se com a própria sorte. Enquanto não o compreenderes, não serás um verdadeiro faquir. Este dinheiro destina-se a ajudar os necessitados, não para ser entesourado. Não somente recebeste quarenta vezes, cada vez mais e mais moedas, mas agora começas tudo novamente. O que vais fazer com todo esse dinheiro? Foi essa espécie de ensinamento que recebeste de teu Guia?"

---

7. Curiosamente, a palavra árabe *faqir* corresponde ao persa *deroês* (dervixe); ambos os termos significam "pobre" e designam aquele que está no caminho espiritual.

Quando acabei de falar, ele estava furioso. "Toma de volta tudo o que me deste", gritou, jogando por terra cada centavo que lhe havia dado. "Presta atenção em teu comportamento! Não é tão fácil ser generoso. Aprende os fundamentos da generosidade, e depois age de acordo com eles".

"Dize-me, então, quais são esses fundamentos?", perguntei-lhe constrangido.

"Antes que possas ser generoso", ele respondeu, "deves possuir três qualidades e praticá-las, para que possas abraçar o caminho da pobreza. São elas: perseverança, temor a Deus e a capacidade de recordar. Antes de possuí-las, não tentes ser generoso. Um homem generoso, ainda que possa fazer o mal, é um Amigo de Deus. Apesar de ter viajado por muitas terras, nunca encontrei uma pessoa verdadeiramente generosa, a não ser a princesa de Basra. Ela honra as celestiais vestes da generosidade. Todos almejam esse título, mas ninguém realmente pratica a verdadeira generosidade."

Assim que terminou de falar, pedi que me perdoasse e que ficasse com o dinheiro. Mas ele seguiu seu caminho, dizendo: "Ainda que me doasses todo o teu reino, eu não o usaria nem mesmo para cuspir sobre ele".

Desde então, passei a nutrir um grande desejo de conhecer a princesa de Basra.

Nesse meio tempo, meu pai faleceu e eu subi ao trono. Finalmente, assumi o império que me estava destinado desde o nascimento; mas a ideia de ir a Basra entranhara-se tão profundamente em meu espírito que não conseguia pensar em outra coisa. Por fim, reuni meus emires e vizires, meus comandantes e ministros, e disse-lhes que partiria. Eles não gostaram da ideia de ver seu rei partir e tentaram demover-me de meu propósito, mas vesti-me como um faquir e parti sozinho.

Em poucos dias, alcancei terras não muito distantes da cidade de Basra. A partir daquele ponto, onde quer que me detivesse para pernoitar, sempre encontrava servos da princesa que cuidavam de mim, providenciando toda comida e bebida que pudesse desejar. Dessa forma, percorri boa parte do caminho cercado de conforto.

Chegando a Basra, mal acabara de entrar na cidade, fui abordado por um jovem que me saudou, dizendo: "Eu sou Bedar Bakht,[8] amigo e servidor de todos os viajantes que aqui chegam, sejam peregrinos ou mercadores. Por favor, ó homem santo!, vem à minha casa e desfruta de minha hospitalidade".

Depois de apresentar-me, acompanhei-o à sua casa. Era um palácio magnífico, provido com tudo o que de melhor existe. Lá dentro, ele convidou-me a sentar, enquanto um servo lavava-me as mãos e os pés. Uma toalha de linho branco foi estendida no chão e, sobre ela, os mais variados tipos de comida me foram servidos. Provei um pouco de cada prato e logo meu estômago ficou cheio. Não podia comer mais e recolhi minha mão.

Meu jovem anfitrião ficou desolado por eu ter comido tão frugalmente, e insistiu que me alimentasse um pouco mais. Recusei balançando a cabeça e abençoei-o por sua hospitalidade. Ele, então, fez que me fosse servida água gelada aromatizada com lima, que bebi prazerosamente. A toalha foi retirada e os servos trouxeram enormes bacias e jarros de ouro para que lavássemos as mãos.

À noite, sob a luz de velas perfumadas em pantalhas de vidro brilhante, o amável jovem entreteve-me até o sono chegar. Embora tivesse solicitado apenas uma pele de veado ou mesmo uma esteira no chão, ofereceram-me uma enorme cama com telas e cortinas, a mais macia em que jamais deitara antes. Vasos com rosas foram colocados dos dois lados de meu leito e cones de incenso perfumado arderam no aposento a noite toda.

Ao amanhecer, tinha diante de mim pistaches, uvas, amêndoas, figos, passas, tâmaras e refresco gelado feito do sumo de frutas

---

8. *Bedar*, em persa, significa "despertar"; e *bakht*, "boa sorte" ou "fortuna". Por conseguinte, *bedar bakht* pode significar "o despertar da boa sorte", ou ainda "o despertar da fortuna".

frescas. Por três dias e três noites, desfrutei de tudo que me foi oferecido. No quarto dia, quando me aprontava para partir, o jovem disse magoado: "Acaso minha hospitalidade foi de alguma forma insuficiente para que queiras partir?"

Fiquei perplexo, e contestei: "Não é certo que a tradição exige que o hóspede permaneça no máximo três dias e três noites, partindo na manhã do quarto dia?"

"Aguarda", disse ele, "pois devo informar a princesa de tua partida. Tudo o que está em teus aposentos, roupa, tigelas e pratos de ouro, taças de jade, são teus. Mandarei empacotá-los para que os leve contigo."

"Alto lá!", exclamei. "Sou um peregrino e não um mendigo errante!"

"Senhor", disse ele, "se tua recusa chegar aos ouvidos da princesa, serei imediatamente dispensado de seu serviço, e sabe Deus que outros castigos ainda irei receber. Se não desejas estas coisas, por favor, ao menos guarda-as num desses quartos e coloca teu próprio selo na porta. Assim, mais tarde, poderás dispor delas como melhor te aprouver."

Ele tanto insistiu que finalmente concordei e gravei com a estampa de meu anel o lacre da porta. Enquanto isso, outro criado, com um manto finamente bordado e um bastão de ouro nas mãos, aproximou-se e implorou que o acompanhasse à sua casa, pois assim poderia acolher-me por mais três dias, sem ferir a tradição da hospitalidade, e acrescentou: "Se a princesa souber que um viajante não foi recebido com toda a cortesia e bondade, só Deus sabe os castigos que me serão impostos!"

Novamente fui persuadido a acompanhá-lo, e assim cheguei a outro palácio, ainda mais esplêndido que o anterior.

Após o terceiro dia, novamente me foi dito que todos os objetos que usara agora me pertenciam, e que deveria levá-los comigo.

"Não desejo as coisas deste mundo!", disse exasperado. "Sou um peregrino e nada necessito além de meu manto e minhas sandálias. Se preferires, escreverei à princesa, dizendo que, aqui em Basra, recebi tão generosa hospitalidade que jamais poderei esquecer."

Assim, apanhei papel e pena e escrevi a seguinte mensagem: "Ouvi falar da grande generosidade de Vossa Alteza e dela desfrutei desde minha chegada. Sou rei em meu próprio país, e vim a Basra apenas com o propósito de encontrar-vos. Espero que vossa benevolência permita-me alcançar o desejo de meu coração. Se este desejo não for atendido, continuarei a vagar, talvez para sempre, sacrificando o resto de minha vida nesta paixão que sinto por vós".

Entreguei a carta a um mensageiro e, com o coração nas mãos, fiquei aguardando uma resposta. Depois do que me pareceu ser uma eternidade, fui levado à porta do harém. Lá dentro, avistei uma encantadora senhora, vestida com finas sedas e muitas joias, sentada num sofá dourado, rodeada por eunucos e escravos.

"Foste tu que escreveste à princesa?", perguntou-me.

Abaixei a cabeça, envergonhado; e ela continuou gentilmente: "A princesa enviou-te uma mensagem: 'Nada há de errado em querer tomar-me como esposa; mas, neste estado de mendicância, afirmar orgulhosamente que és rei em teu país é algo inteiramente fora de propósito. Ainda assim, se és indiferente às riquezas do mundo, e tendo Deus me favorecido com uma fortuna incalculável, bem poderíamos formar um belo par. Há, no entanto, uma tarefa a cumprir antes de selarmos nossa união'".

"E qual é esta tarefa?", perguntei.

"Permanece no palácio por esta noite e amanhã saberás", respondeu a venerável senhora.

Aquiesci e, despedindo-me, deixei o harém. Ao anoitecer, juntei-me a todos os comensais numa grande festa no palácio. Então, um escravo chamou um homem para que se sentasse a meu lado, dizendo-lhe: "Ó Bahrawar!,[9] relata a este estrangeiro tudo o que viste."

---

9. *Bahr-awar*: em persa, "aquele que traz a primavera".

"Ó amigo!", começou Bahrawar, "nossa princesa tem milhares de escravos, dos quais sou um de seus mais humildes servos hereditários. Regularmente, somos enviados a diversas regiões do mundo com mercadorias e bens, para estabelecer postos comerciais em terras estrangeiras. E, em seus momentos de lazer, a princesa pede que cada um de nós relate o que presenciou em cada país.

"Certa vez, fui à cidade de Nimroz, na Pérsia, onde parecia estar ocorrendo um grande tumulto. Toda a população estava de luto e chorava sem parar, mas ninguém queria dizer o que havia de errado.

"Um dia, todos, velhos e moços, tímidos e ousados, belos e feios, deixaram a cidade e reuniram-se numa grande planície nos arredores. O rei de Nimroz os acompanhava, montado num belo corcel, rodeado pelos cortesãos; e eu os segui para descobrir do que se tratava.

"Pouco tempo depois, quando todos estavam reunidos, montado num imenso touro castanho, um jovem pareceu surgir do nada. Ele desmontou e sentou-se no chão, com o cabresto do touro em uma mão e uma espada desembainhada na outra. Acompanhava-o um criado, que caminhava em círculo, exibindo algo à multidão. Não pude ver o que era, mas percebi que cada pessoa que o olhava, quem quer que fosse, logo caía num choro profundo e lamentoso. Tendo completado o círculo, quando todos estavam em prantos, o criado retornou para junto de seu amo; então, a espada nua cintilou no ar e, num só golpe, a cabeça do criado foi separada do corpo. O jovem montou novamente no touro castanho e galopou para longe. E, quando já havia desaparecido no horizonte, os habitantes retornaram à cidade. Perguntei a todos o significado daquele cruel ritual, mas ninguém quis responder-me.

"Retornando a Basra, contei à princesa o que testemunhei, do princípio ao fim. Ela ficou perplexa com minha narração e sentiu-se ansiosa para entender o significado de tudo aquilo."

A velha senhora, que também ouvia aquela narração, disse: "Por essa razão, a princesa decidiu que, para desposá-la, seu pretendente deverá primeiro desvendar este mistério. Tal homem, quem quer que seja, será o senhor de seu coração, de sua riqueza e de seu reino.

"Agora que já ouviste tudo, deves esclarecer este enigma; se te crês capaz disto, empreende a viagem a Nimroz; se não, recusa o desafio, renuncia à princesa e retorna à tua casa, para nunca mais voltar."

"Com a ajuda de Deus, seguirei os desígnios de meu coração e irei a essa estranha e lúgubre cidade", respondi. "Porém, se a princesa me receber, ainda que por detrás da cortina que a protege de olhos indignos, meu coração encontraria repouso e força para a jornada."

A velha senhora levou minha mensagem, e logo fui conduzido aos aposentos da princesa. Ah!, que festa de beleza vi à minha volta: cada uma de suas criadas era mais bela que a outra! Formando duas filas, ali estavam, vindas do Kalmuk, do Turquestão, da Abissínia, do Uzbequistão Tártaro e da Caxemira, vestindo ricas roupas e joias, com os braços cruzados sobre o peito em sinal de reverência.

Apontaram-me um assento incrustado de pedras preciosas para que me acomodasse; e uma escrava ocupou um banco esculpido em sândalo a meu lado e perguntou-me: "O que tens a dizer?"

Exaltei a justiça, a tolerância e a generosidade da princesa e prossegui: "Desde que aqui cheguei, fui tratado com hospitalidade e a mais elevada generosidade. Todos os presentes que recebi são dignos de um rei; porém, dei-me conta de que, se o mesmo tratamento é dispensado a todos os peregrinos e visitantes, fortunas incalculáveis seriam consumidas em poucos dias. De onde vem tanta riqueza? Como, neste mundo, pode haver um tesouro que não tenha fim? Se a princesa puder explicar-me isso, então poderei partir para Nimroz com o espírito feliz e a mente em paz".

Uma voz suave veio de detrás da cortina: "Ó jovem curioso!, se desejas saber mais, deves permanecer aqui por mais este dia. À noite, irei contar-te o segredo de minha riqueza".

Voltei ao palácio onde estava hospedado e esperei impacientemente. Depois da ceia oferecida por meu anfitrião, fui novamente convocado à presença real.

Como antes, fui acompanhado da velha senhora e conduzido ao harém. Um tecido bordado em ouro estava estendido sobre os ricos tapetes, e, sobre ele, uma almofada adornada com pérolas. Todo o salão era cercado por vasos de ouro que serviam de suporte para árvores forjadas em ouro e prata, cujos frutos eram gemas preciosas. À direita e à esquerda, lindas escravas de todas as nacionalidades aguardavam com os braços cruzados e os olhos baixos, enquanto dançarinas e cantoras, com seus instrumentos perfeitamente afinados, iniciavam suas apresentações.

"É sempre assim na corte da princesa?", perguntei.

"Algumas vezes é ainda mais grandioso", foi a resposta. "Senta-te aqui, a princesa encontra-se em outro aposento. Vou avisá-la de tua chegada." E, assim dizendo, a escrava desapareceu.

Logo fizeram-me passar ao salão interior. Fiquei tonto ante a beleza do aposento. Não conseguia distinguir o que eram portas e o que eram paredes, pois tudo cintilava com a luz de centenas de espelhos e joias; miríades de cores dançavam em meus olhos: diamantes, rubis, esmeraldas e gemas que jamais vira antes emolduravam todo o lugar. Num dos cantos, velada por uma cortina de seda brilhante, estava a princesa.

Então, a velha senhora começou a falar:

Escuta, ó homem inteligente! O sultão deste país era um grande homem, e tinha sete filhas de sua linhagem.

Certo dia, as sete princesas estavam diante dele, portando as mais lindas joias e cetins, quando o soberano lhes disse: "Se não fôsseis minhas filhas, poderíeis ter nascido na casa de um homem pobre. Agradecei a Deus por terdes a mim como pai, pois vossa riqueza depende exclusivamente de mim".

Seis jovens responderam prontamente: "Amado pai, tudo o que Vossa Majestade diz é verdade, nós realmente dependemos inteiramente de vossa real existência, e nossa felicidade provém apenas de vós".

Mas a sétima, a que hoje está atrás da cortina, permaneceu em silêncio e, ao contrário de suas irmãs, nada disse que demonstrasse gratidão ou reconhecimento por seu pai.

O rei ficou muito zangado e disse: "Filha, tu nada dizes, qual a razão de teu silêncio?"

Ela respondeu: "O que o Grande Escritor escreveu em meu livro da vida permanecerá sempre inalterado, não importa o que eu diga, e isso nunca poderá ser influenciado ou mudado por ninguém. O que quer que seja, está escrito e deverá acontecer".

O rei ficou ainda mais furioso: "Que grandes palavras saem de de boca tão pequena! Serás despojada de todas as tuas joias e levada para o deserto. Veremos, então, o que está escrito no livro do teu destino!"

À meia-noite, a pobre princesa, que havia sido criada em meio a todos os luxos, foi transportada numa liteira a um lugar desolado, indicado por seu pai, e ali abandonada. Rezando por ajuda, a princesa, apesar da situação desesperadora, às vezes adormecia tranquilamente, pois seu coração estava seguro da proteção divina.

Durante três dias e três noites, ela ficou sozinha e sem abrigo; nenhum bocado de alimento ou gota de água tocou seus lábios, e sua beleza minguou como um espinheiro ao sol do deserto: sua linda pele tornou-se amarela como o açafrão e o brilho de seus olhos quase se apagou. Na manhã do quarto dia, um velho eremita, vestindo roupas verdes, apareceu e, vendo a infelicidade daquela menina, disse: "Ó minha criança, embora sejas filha de um rei, estes sofrimentos te estavam destinados".

O eremita deixou toda a comida que havia em sua bolsa ao lado da princesa e saiu à procura de água. Logo, encontrou um poço; mas como não havia balde, teve de improvisar um recipiente com algumas folhas de árvore e, usando seu cinto como corda, lançou-o dentro do poço e conseguiu recolher um pouco de água; assim, a menina pôde saciar sua fome e sua sede.

Desde então, todas as manhãs, o velho ia à cidade mais próxima para mendigar, e, ao entardecer, sempre trazia algum alimento para a princesa. Assim, o tempo passou.

Certo dia, enquanto ela penteava os cabelos, uma pérola adornada com um diamante caiu a seus pés. Ela a entregou ao eremita para que a vendesse na cidade. No dia seguinte, ele voltou com o dinheiro da venda da joia. Então, a princesa pediu-lhe ajuda para construir uma pequena casa.

"Filha", disse o velho, "começa a cavar as fundações enquanto vou buscar um pouco de barro para os tijolos; logo terás um teto sobre tua cabeça."

A princesa iniciou a escavação e, bem profundo na terra, encontrou uma porta. Ela removeu a areia e, abrindo a porta, encontrou-se no interior de um salão cheio de ouro e joias. Apanhou várias mãos cheias de ouro, fechou a porta e cobriu-a novamente.

Quando o eremita voltou, a princesa disse: "Traz pedreiros, construtores e trabalhadores de todas as especialidades, pois ergueremos um belo edifício neste lugar".

O eremita trouxe os trabalhadores e logo um palácio estava erguido. Era uma construção de tão admirável harmonia que a notícia de sua existência não tardou a chegar aos ouvidos do rei. Finalmente, um dos nobres da corte foi até lá para investigar.

"O rei deseja saber quem és", disse à princesa, "de que parte do mundo vens e qual o nome de tua família?"

A princesa apanhou pena, papel e tinta, e enviou uma mensagem. Estava escrito: "Ó Protetor do Mundo! Por favor, vem visitar-me, pois assim o sol de tua presença poderá iluminar este humilde lugar". Depois, deu ricos presentes ao nobre emissário de seu pai, e pediu-lhe que trouxesse uma resposta.

O rei aceitou o convite e, no dia marcado para a visita, tudo estava preparado como que para uma festa de núpcias. Dois cavalos e dez elefantes, com selas e arreios incrustados com gemas preciosas, carregados com xales, brocados e valiosos tapetes foram presenteados ao eminente visitante. A princesa, com a cabeça coberta por um véu, cercada de suas damas de honra, esperava para recebê-lo.

"De que país és nativa, e por que vives aqui neste ermo?", perguntou o rei.

"Sou aquela que ofendeu Vossa Majestade e foi exilada no deserto", disse ela, desvelando o rosto.

O coração de seu pai foi tocado. Surpreso com tudo o que via, o rei abraçou sua filha e enviou uma mensagem à rainha e às outras seis princesas, para que viessem imediatamente.

Todas coraram de alegria ao vê-la tão bem e feliz, e agradeceram a Deus. A princesa, por sua vez, deu-lhes tantos e tão preciosos presentes, que elas mal podiam crer nos próprios olhos.

Por muitos anos, todos viveram em perfeita paz e felicidade. E quando o rei morreu, o povo do país designou-a para o trono, e todos na corte ficaram encantados com a escolha.

"Agora que já conheces a história da princesa, se ainda pretendes partir para Nimroz, vai depressa", completou a velha criada.

"Partirei agora mesmo", respondi, "e se for a vontade de Deus, logo estarei de volta."

Cerca de um ano depois, após muitas dificuldades, finalmente cheguei à cidade de Nimroz. Toda a população, camponeses e nobres, vestia luto e chorava quase sem parar.

No primeiro dia do mês, a multidão reuniu-se na planície, e eu os segui, com meu manto de peregrino, para presenciar o estranho evento narrado por Bahrawar, em Basra.

De repente, montando um touro castanho, um jovem apareceu. Tudo ocorreu, como num rito, exatamente da maneira que já me havia sido descrita.

Ali permaneci por mais um mês, contando cada dia que passava, à espera do homem montado no touro. Por fim, era novamente o primeiro dia do mês, e eu estava determinado a fazer algo decisivo desta vez. O que seria, eu mesmo ainda não sabia, sequer podia imaginar.

No exato momento em que o jovem golpeou o escravo com a espada, precipitei-me em sua direção, mas várias pessoas agarraram meus braços e pernas, impedindo minha aproximação.

"O que estás tentando fazer? Desejas morrer também?", advertiram-me.

Supliquei que me deixassem ir, mas só me libertaram depois que o jovem montou no touro e, uma vez mais, desapareceu a galope.

Aquele mês também se passou, e agora eu esperava pelo início do próximo. O jovem veio como antes, e praticou os mesmos atos. Terminado o ritual, eu o segui, evitando todos os que tentavam deter-me. No entanto, percebendo minha aproximação, ele se voltou em minha direção e gritou furiosamente, ameaçando-me com a espada. Quando estava prestes a golpear-me, juntei minhas mãos em saudação e, de cabeça baixa, permaneci imóvel diante dele.

"Ó peregrino, por que desperdiçarias tua vida?", perguntou-me, abaixando a espada. E, jogando em minha direção uma adaga de ouro adornada com pedras preciosas, disse: "Neste momento, nada tenho para dar-te senão esta adaga. Leva-a ao rei de Nimroz e obterás qualquer coisa que pedires".

Assim dizendo, ele retomou seu caminho. Porém, vendo que eu continuava a segui-lo, novamente, veio em minha direção, e parecia estar a ponto de matar-me.

Inclinei meu pescoço e disse: "Golpeia-me! Perdôo-te por meu sangue".

"Por que queres derramar teu sangue sobre minha cabeça e fazer de mim um assassino? Vai-te daqui, afasta-te de mim!", ordenou-me.

Mas eu insistia em segui-lo. Andamos mais ou menos dois quilômetros e chegamos a uma casa. O jovem gritou, a porta se abriu e ele entrou.

"Por Deus", pensei, "o que devo fazer agora?"

Então, um escravo apareceu e disse-me: "Deves acompanhar-me, meu senhor te chama à sua presença".

Entrei e, caminhando por um jardim, fui conduzido ao lugar onde o jovem estava sentado. Ele fez um sinal para que também me acomodasse, o que fiz com toda a dignidade de que fui capaz. O jovem tinha instrumentos de ourives no colo e um vaso feito de esmeraldas na mão.

Quando ele se levantou, todos os escravos saíram de seus lugares e esconderam-se nos armários. Seguindo um impulso, também busquei refúgio num pequeno quarto, com medo do que poderia vir a acontecer. O jovem pôs-se de pé e, tendo trancado todas as portas com pesadas correntes, começou a bater no touro que costumava montar. O som de seus rugidos era insuportável aos ouvidos. Saí de meu esconderijo e pude vê-lo espancando o dorso do animal; em seguida, atirando fora o bastão que usara para golpeá-lo, beijou e afagou suas feridas. Depois, alimentou-o, e caminhou em minha direção. Ainda temeroso, escondi-me novamente no quarto. O jovem desatou as correntes de todas as portas e os servos entraram com um pequeno tapete, uma bacia e um jarro de água. Após lavar as mãos e o rosto, ele se prosternou para rezar.

Ao terminar a oração, o jovem gritou imperiosamente: "Onde está o peregrino?"

Apresentei-me diante dele e, então, desfrutamos de um delicioso jantar e de uma maravilhosa festa. Quando tudo acabou, ele disse: "Amigo, o que te faz buscar assim a própria morte?"

Contei-lhe todas as aventuras por que tinha passado, do princípio ao fim, e concluí: "Por teu intermédio espero alcançar o desejo de meu coração".

"Oh!, só conhece o sofrimento do amor quem lhe sentiu as dores!", exclamou com pesar. Pela sua angústia, soube que ele também sofria a agonia do amor.

"Compartilhei contigo todos os meus problemas", disse-lhe. "Agora, por favor, conta-me os teus, que escutarei com paciência e atenção."

Imediatamente, ele começou sua narração:

A história do Príncipe de Nimroz

Sabe, meu amigo, que sou o príncipe de Nimroz. Quando nasci, o rei, meu pai, reuniu todos os seus astrólogos, adivinhos e eruditos e pediu-lhes que calculassem fielmente meu horóscopo.

Depois de um longo tempo, finalmente acabaram o trabalho e disseram: "O príncipe nasceu sob tão propícia estrela que, no mínimo, deverá igualar-se a Iskandar.[10] Ele se sobressairá em qualquer ciência a que se dedique, e obterá qualquer coisa que seu coração deseje. Porém, até que complete quatorze anos, estará correndo grande perigo se olhar para o Sol ou para a Lua. Pois, se o fizer, poderá tornar-se insano e derramar o sangue de muitos. Imensos cuidados devem ser tomados para que nunca veja os reis do dia e da noite, ou até mesmo olhe para o céu. Se esse tempo de perigo transcorrer sem incidentes, seguramente o príncipe poderá viver em paz e prosperidade por muitos anos".

Ouvindo isto, meu pai ordenou que seu imenso jardim fosse inteiramente coberto; e eu cresceria dentro dessa redoma, cuja cúpula era forrada de feltro, para que nenhum raio de luz, do Sol ou da Lua, fosse ali capaz de penetrar.

Tive uma ama e, mais tarde, também um preceptor, que me ensinou tudo a respeito dos assuntos públicos e das sete variedades de caligrafia. Toda sorte de deliciosos manjares me eram

---

10. Iskandar é o nome árabe de Alexandre, o Grande, rei da Macedônia, considerado sábio pelos muçulmanos.

trazidos diariamente. Eu, é claro, pensava que esse lugar era o mundo inteiro, e distraía-me com meus brinquedos e, à minha maneira, era feliz.

Certo dia, então, enquanto crescia sob aquela cúpula, uma espantosa flor surgiu de uma abertura por onde circulava o ar. Quanto mais eu a olhava, mais ela aumentava de tamanho. Tentei agarrá-la, mas ela esquivou-se de minhas mãos. Então, surpreso, vi um rosto suspenso no ar, o mais belo que jamais vira. Senti-me trespassado de amor, e perdi os sentidos.

Ao recobrar a consciência, olhei para cima e vi um resplandecente trono feito de joias, suspenso no ar por fadas que o carregavam nos ombros. Sobre ele, um ser de incrível beleza, a princesa das fadas, com uma coroa de pedras preciosas, vestindo um manto sublime, bebia vinho de uma taça de rubi.

O trono desceu das alturas ao chão, e a fada convidou-me a sentar a seu lado no trono mágico, dizendo numa voz comovente: "Embora a raça humana seja infiel, ainda assim tens meu amor".

Ao ouvir isso, senti-me tão maravilhado que, naquele instante, conheci a verdadeira felicidade.

Então, quatro fadas desceram e sussurraram algo aos ouvidos da donzela. Não sei que terríveis palavras poderiam causar tal efeito: a cor abandonou seu rosto, deixando-o pálido como marfim.

"Ó amado", disse-me, "pretendia passar mais tempo contigo, talvez levar-te comigo para algum lugar fabuloso. Mas o destino não permite que pessoas como nós permaneçam juntas e sejam felizes; por isso devo partir. Adeus, meu amado!"

Agora, era minha vez de sentir as palavras rasgarem meu peito, pois estava verdadeiramente apaixonado, como nunca estivera em minha vida.

"Quando poderei encontrar-te novamente?", gritei. "Será que algum dia estaremos juntos uma vez mais? Dize-me ao menos teu nome e onde moras para que te possa encontrar."

"Deus proíba que o faças!", ela respondeu. "Sou a filha do rei dos *djinns*, e vivo nas montanhas de Qaf."

E, enquanto falava, o trono elevou-se e voou cada vez mais alto. Nossos olhos permaneceram fixos um no outro, até que ela desapareceu.

Uma terrível escuridão abateu-se sobre mim. Tudo parecia sombrio e tenebroso; rasguei minhas roupas e chorei amargamente. Não podia comer ou beber, sequer me importava o bem e o mal. Minha ama foi até meu pai e, aflita, contou-lhe a estranha mudança que subitamente ocorrera em mim.

"Majestade", disse ela vacilante, "esta é a condição do Príncipe do Mundo. Ó meu rei, vai até ele e vê com teus próprios olhos!"

Acompanhado de seus nobres, doutores e velhos sábios, meu pai entrou no jardim, e mal pôde crer que era mesmo seu filho que ali estava chorando e gemendo, tão grande era minha transformação. Perguntou o que se passava comigo, mas eu não conseguia ouvir nem responder.

O rei trouxera consigo os melhores médicos e sábios do reino, com instruções para que dedicassem todos os cuidados necessários à minha enfermidade, embora ninguém soubesse qual era.

Tive de passar por inumeráveis rituais e cerimônias, meu corpo foi inteiramente examinado, talismãs me foram prescritos por homens santos, enquanto outros recitavam orações para que eu recobrasse a saúde. Alguns sopravam sobre mim, esperando dissipar o mal que me atacava, outros diziam que minhas estrelas eram a causa de todo o problema, e havia ainda os que recomendavam que fossem oferecidos donativos piedosos a uma certa obra de caridade.

Tudo isso se prolongou por algum tempo, mas a verdadeira tortura ocorria em minha mente. Dia após dia, minha sanidade desvanecia. Três anos se passaram, e eu cada vez mais submerso naquele estado. Nenhum tratamento surtiu qualquer efeito sobre mim ou meu sofrimento.

Um dia, um mercador chegou à corte, trazendo muitas curiosidades e objetos de valor para vender, e meu pai lhe fez a mesma pergunta que fazia a todos os viajantes:

"Sem dúvida, já viajaste por vários países em busca destes tesouros", disse-lhe cortesmente. "Acaso viste ou ouviste falar de um médico ou erudito, em alguma região ou império, capaz de curar estranhas enfermidades?"

"Ó poderoso rei!", disse o mercador, "conheço tal homem. No meio do rio Ganges, no Hindustão, existe uma pequena montanha. Ali, uma seita sagrada, a dos mais simples mendicantes, que usam cabelos compridos e andam quase nus, construiu um grande templo e um jardim realmente muito belo. Uma vez a cada ano, um homem milagroso visita aquelas paragens e, depois de banhar-se nas águas sagradas, vai a um certo rochedo, onde doentes e aflitos, de todas as raças, nações e credos, reúnem-se na esperança de serem curados. Ele se move entre eles, sentindo o pulso de um, examinando um frasco de urina de outro, dando a cada doente uma receita. Deus lhe concedeu um tal dom, que ele é capaz de curar miraculosamente a todos os que o procuram. Após tomarem seus remédios, todos, sem exceção, têm a saúde completamente restabelecida! Isto eu vi com meus próprios olhos! Se for vosso desejo, levarei o Príncipe do Mundo até este homem, e assim, quem sabe, ele poderá recobrar sua sanidade."

O rei ficou esperançoso ante a possibilidade de eliminar a melancolia que me atormentava há mais de três anos. Imediatamente, foram feitos os preparativos para nossa partida.

Após longa jornada, chegamos às margens do Ganges. Devido à mudança de ares e às novas paisagens do caminho, minha mente estava um pouco mais serena, mas eu permanecia em absoluto silêncio. Muitas e muitas vezes, pensava na princesa das fadas; na verdade, sua imagem jamais abandonava minha mente.

Quatro ou cinco mil pessoas estavam reunidas num rochedo, esperando a chegada do homem santo, e eu era uma delas. Todos à minha volta diziam: "Se Deus quiser, quando o santo vier até nós, seremos curados!" De todo coração, esperava que isso também acontecesse no meu caso, embora realmente não desejasse esquecer minha amada.

De repente, gritos emergiram de todos os lados: "Ele está aqui! Ele chegou!" E a multidão avançou sobre ele, como uma onda.

Um homem se aproximou, vestindo uma tanga branca, o corpo todo coberto de cinzas. Tinha na testa a marca feita com madeira de sândalo incandescente, e seus cabelos e bigodes eram muito longos.

O homem santo examinava cada doente e anotava uma pequena prescrição. Finalmente, chegou minha vez. Ele veio a mim e olhou-me fixamente; seus olhos estranhamente luminosos pareciam queimar dentro dos meus.

"Tens de vir comigo", disse-me. "Vou ajudar-te."

Segui-o por onde ele me guiou, até que adentrei um aposento todo mobiliado. Enquanto observava o lugar, o homem santo disse que aquele era meu novo lar, e deixou-me. Por cerca de quarenta dias, vivi naquele agradável lugar. Quando o santo veio ver-me novamente, examinou-me e constatou a melhora de meu estado.

"Caminha pelo jardim e come qualquer fruto que te agrade", disse-me. Depois, deu-me uma jarra de vidro cheia de um líquido e acrescentou: "Toma diariamente uma colher cheia desta poção antes de comeres qualquer coisa".

Ele retornou a sua própria casa, e eu obedeci fielmente suas instruções.

Um dia, após minha refeição matinal, observando meu aposento, deparei com uma grande estante repleta de livros raros sobre todos os assuntos. Comecei a lê-los, e li muito; li tudo sobre as artes e ciências dos tempos passados e do presente; li sobre a arte mística dos filtros amorosos, e muito mais. Um ano se passou, sem que eu percebesse que estivera morando ali por tanto tempo.

Então, certo dia, o santo médico apareceu e pediu que o seguisse. Saímos para as ruas e logo uma imensa multidão passou a segui-lo. Após banhar-se no rio, ele mais uma vez estava pronto para examinar os doentes e prescrever seus remédios. Um jovem, que mal conseguia manter-se em pé, chamou sua atenção.

"Traz este jovem à minha casa", ordenou-me.

Dirigimo-nos a seus aposentos privados, onde ele realizou uma delicada cirurgia no crânio do jovem enfermo. Colocou à mostra uma pequena parte do cérebro e tentou agarrar com seus instrumentos o pequeno verme que ali se alojara. Subitamente ocorreu-me uma idéia.

"Se aqueceres a pinça no fogo e aplicares o calor no verme, ele sairá sozinho", exclamei. "Se tentares arrancá-lo, ele se agarrará ao cérebro e a vida deste homem estará perdida."

Depois de ouvir minha recomendação, o velho homem fitou-me por um longo minuto; então deixou cair o instrumento que tinha nas mãos e foi para o jardim. Apesar de não entender como, eu sabia exatamente o que fazer e, sozinho, terminei a operação. Depois, como o homem santo demorava a retornar, fui procurá-lo. Para meu horror, encontrei-o enforcado numa árvore. Apressei-me a examiná-lo e constatei que ele tirara a própria vida. Ao descê-lo da árvore, duas chaves caíram das dobras de sua tanga; sepultei-o e voltei para a casa. Experimentei as chaves nas fechaduras de todas as portas e descobri que eram de dois quartos; estavam repletos de pedras preciosas, do piso ao teto. Num deles, um baú coberto com veludo verde chamou minha atenção. Eu o abri e encontrei um livro com o título em letras douradas: "O Mais Terrível dos Nomes".

Sentei-me e comecei a folheá-lo, e descobri que continha instruções de como contatar *djinns* e fadas, de como conversar com os espíritos e subjugá-los, e de como enfeitiçar o próprio Sol.

Era um livro tão maravilhoso que fiquei muito excitado, pensando na melhor forma de colocar em prática todo aquele novo e maravilhoso conhecimento. Envolvi o livro mágico num lenço de seda e levei-o comigo de volta para o jardim. Depois, dei instruções aos criados para que empacotassem todas as jóias e objetos de valor daqueles dois quartos, a fim de levá-los comigo na longa jornada de volta à minha casa.

Finalmente, cheguei ao país em que nasci e fui ao encontro de meu pai. Beijei seus pés, dizendo: "Tenho permissão de morar em meu antigo jardim?"

"Filho", disse ele, "depois de tua partida, aquele lugar adquiriu aspecto tão triste e desafortunado que proibi que fosse cuidado. No momento, não se presta a ser habitado por ninguém. Escolhe o local que desejares, esquece aquele lugar amaldiçoado. Melhor seria se ocupasses alguma parte do palácio, pois assim ficarias sob meus cuidados pessoais."

Argumentei com meu pai até conseguir demovê-lo de seus temores, e obtive sua permissão para recuperar e ocupar o jardim de minha juventude. Restaurado à sua antiga glória, por ali caminhei e pensei meus próprios pensamentos, e jejuei por quarenta dias para subjugar qualquer *djinn* que porventura estivesse agarrado a mim.

Quando os quarenta dias se passaram, um terrível vendaval assolou todo o lugar: imensas árvores tombaram como se fossem arbustos, prédios foram demolidos e a terra foi devastada.

Então, uma legião de fadas apareceu-me; em seguida, um trono surgiu em pleno ar. Nele sentava-se um ser encantado, um *djinn*, de magnífica presença, vestido ricamente e com uma coroa de pérolas sobre a cabeça.

Saudei-o com todo respeito e ele retribuiu do mesmo modo. Então, sem demora, disse-me: "Ó amigo!, por que nos provocaste desta maneira, com uma agitação nunca antes vista? Por que necessitas ver-me?"

"Ó rei dos *djinns*!", suspirei, "há muitos anos estou apaixonado por vossa filha e, por amor a ela, estive a ponto de perder o juízo. Embora vivendo, estou morto, em todos os sentidos da palavra. Imploro-te, um milhão de vezes, permite-me vislumbrá-la uma vez mais, pois assim poderei..."

"Ó ser humano!", disse ele, interrompendo-me, "qualquer ligação entre nós, que somos feitos de fogo, e vós, que sois feitos de terra, é totalmente impossível."

"Desejo apenas vê-la novamente, mesmo que só por um momento", gritei do fundo de meu coração. "Não tenho outro propósito além de pousar meu olhar sobre aquela que amo tão ternamente."

De novo, o rei do *djinns* replicou: "O homem nem sempre faz o que promete; em momentos difíceis, é capaz de dizer qualquer coisa. Meu aviso não deve ser ignorado pois o perigo é da maior gravidade; se não tomares cuidado, ambos, tu e ela, estarão arruinados para sempre".

Renovei meu voto de vê-la apenas por um breve instante, para assim aliviar a dor de meu coração. Neste momento, como que saída do nada, a linda princesa das fadas apareceu ao lado do trono de seu pai, tão sublimemente bela que meus olhos se ofuscaram. Não pude conter-me, abracei-a apaixonadamente e provei o prazer de seus lábios; depois, sentei-me a seu lado no jardim. Ela estava admirada por eu ter sido tão fiel à sua memória, e tratou-me com todo o carinho.

"Eis um conselho que deves seguir", disse-me com seriedade: "tem muito cuidado com teu livro mágico 'O Mais Terrível dos Nomes', pois estou certa que um *djinn* diabólico tentará roubá-lo de ti."

"Guardarei este livro como guardo minha vida", respondi.

Mas Satã induziu-me ao erro, pois enquanto estreitava meu amor junto a meu coração, uma voz bradou imperativamente: "O livro, o livro, dá-me o livro!". Imediatamente coloquei a mão no bolso e entreguei o livro a quem não conhecia, tão inebriado estava com a princesa. A linda fada, vendo o que eu havia feito, começou a gritar: "Ó homem tolo, tão cedo te descuidaste de meu aviso!"

Naquele momento, ela mergulhou na inconsciência. Despertei de meu transe e vi um terrível *djinn* em pé ao nosso lado, com o livro na mão. Tentei tomá-lo de volta, mas ele imediatamente passou-o a um outro, que fugiu para longe de meu alcance. Minha adorável fada não recuperou mais os sentidos; permaneceu num estado de estupor, até que desapareceu.

Desde aquele instante, todas as minhas alegrias transformaram-se em amargura. Passei a evitar a todos e a viver sozinho num canto deste jardim. Em meu desespero, venho tentando ocupar minha mente: faço um vaso de esmeraldas, e a cada mês vou à planície montado no touro castanho, quebro o vaso e mato um escravo, a fim de que saibam de minha dor e apiedem-se de mim. Talvez alguém possa dedicar-me uma prece, pois sinto-me completamente desamparado. Ó amigo!, esta é a triste história de minha loucura.

"Ó príncipe, verdadeiramente sofreste por amor. Tentarei ajudar-te, e andarei mundo afora até encontrar um remédio para teu tormento."

Tendo feito esta promessa, despedi-me do príncipe. Nos últimos cinco anos, tenho vagado de país em país, procurando alguma ajuda para ele. Mas não encontrei nenhum traço da linda fada, por quem ele sofre tão profundamente. Enfim, eu mesmo acabei por ficar muito desconsolado. Recentemente, escalei uma montanha e desejei atirar-me no abismo, quando o mesmo cavaleiro com o véu verde que te salvou da destruição apareceu e disse: "Não destruas tua vida; em poucos dias verás realizado o desejo de teu coração".

Ó Dervixes!, finalmente vos encontrei. Agora tenho esperança de que a alegria e a felicidade serão nosso destino conforme foi profetizado.

A história de Azad Bakht

Quando o Segundo Dervixe terminou de contar sua história, a noite havia chegado ao fim e a luz de uma nova aurora já aparecia no céu.

O rei Azad Bakht retornou silenciosamente a seu palácio. Depois de banhar-se e vestir seu manto real, entrou na sala do trono e deu ordens para que o grão-vizir se apresentasse.

"Ó vizir", disse ele, "quatro dervixes estão reunidos na colina tumular. Traga-os a mim o mais rápido que possas, pois necessito vê-los com urgência."

"Ouvir é obedecer", respondeu o ministro.

O vizir chegou a tempo de observar os quatro dervixes banhando-se, preparando-se para seguirem seus diferentes caminhos. Aproximou-se e disse: "Meu amo, o rei, deseja receber-vos no Salão de Audiências. Tende a bondade de acompanhar-me".

Os quatro dervixes recusaram o convite e expuseram seus motivos, dizendo: "Senhor, somos nossos próprios amos e reis de nossos próprios destinos. Por que deveríamos acompanhar-te à presença um rei deste mundo?"

"Ó homens veneráveis!", disse o vizir, "que mal pode haver numa visita ao palácio, apenas por um breve tempo, para agradar um rei desafortunado?"

Os dervixes recordaram-se, então, do cavaleiro verde que salvara o Primeiro e o Segundo Dervixes da destruição e de suas palavras, e decidiram acompanhar o vizir.

Ao chegarem à sala do trono, os dervixes abençoaram o rei, dizendo: "Querido filho, que tudo possa estar bem contigo".

"Ó Portadores do Manto de Andrajos! De onde viestes e qual é vosso destino?", perguntou o rei cortesmente.

"Somos dervixes", responderam em uníssono. "Nossa casa é onde a noite nos encontra."

"Aqui encontrareis abrigo", disse Azad Bakht. "Desfrutai da minha hospitalidade e contai-me vossas aventuras, pois estou certo de que tendes vivido muitas e variadas experiências."

"Sim, na verdade muitas coisas aconteceram conosco", replicaram os dervixes, "mas não temos o vigor necessário para relatá-las, e nem nos causa prazer narrar-te nossas austeridades, problemas e peregrinações. Por esse motivo, por favor, desobriga-nos da longa narrativa."

O rei afagou sua barba e, sorrindo, disse: "Permiti, então, dizer-vos que, na noite passada, enquanto cada um contava sua própria história, eu lá estava, escondido na escuridão, e ouvi as narrativas de dois de vós. Agora vos peço, por favor, continuai vosso relato, para que eu possa aprender convosco e beneficiar-me".

"Não podemos, não insistas", disseram os dois que ainda não haviam contado suas histórias, cabisbaixos e envergonhados.

"Não há ninguém neste mundo que não tenha vivido ou testemunhado coisas estranhas e quase impossíveis de acontecer", disse o rei. "Relatarei alguns fatos insólitos que ocorreram comigo; talvez isso vos inspire a falar de vossas aventuras."

"Contai, ó soberano, e que possais encontrar a salvação!", disseram os dervixes.

Azad Bakht então iniciou sua história:

Eu era bastante jovem quando meu pai morreu e tive de sucedê-lo no trono. Desfrutava da flor de minha juventude e todo o reino de Rum estava sob meu comando.

Certo dia, um mercador de Badakhshan, país famoso por seus preciosos rubis, chegou à capital trazendo maravilhosas mercadorias. Entre os mais finos tesouros que trouxera à minha corte estava um rubi de mais de meia onça de peso. Mesmo sendo um rei, nunca antes vira pedra de tal beleza e valor, e desejei ardentemente possuí-la.

O mercador, vendo o brilho em meus olhos, imediatamente ofereceu-me a pedra como presente. Fui completamente arrebatado e, em retribuição, dei-lhe muitos presentes e um manto de honra. Decretei que meus soldados deveriam proteger o mercador por toda parte que tivesse de ir, dei-lhe papéis que lhe permitiam viajar livremente por meus domínios, e enviei instruções a todos os meus governadores, dizendo que deveria ser tratado com toda a atenção, e que qualquer prejuízo que sofresse deveria ser considerado como deles próprios.

Todos os dias, mandava buscar o rubi apenas para olhá-lo, e ficava apreciando sua cor contra a luz, mesmo durante minhas audiências públicas. Um dia, após exibi-lo a vários nobres estrangeiros para que partilhassem de minha admiração, um de meus estimados conselheiros pediu permissão para falar-me em particular. Por sua idade e pelo longo tempo a meu serviço, concedi-lhe prontamente o favor.

"Senhor", disse ele em voz baixa para que ninguém além de mim pudesse escutar, "és um rei poderoso e mal se pode crer que dês tanta importância a uma simples pedra, especialmente na presença de todos estes estrangeiros. É verdade que este rubi é único em sua qualidade e sua cor, mas ainda assim é apenas uma pedra. Supõe que, após retornarem a seus países, estes embaixadores sejam indagados sobre que tipo de homem é o rei de Rum: será que não terão nada mais a dizer sobre ti senão que és alguém que está sempre contemplando uma pedra vermelha, embevecido como uma criança?"

Eu estava começando a ficar zangado, mas o velho homem continuou: "Além do mais, em Nishapur, na Pérsia, há um homem que possui doze rubis deste tamanho costurados num colar em volta do pescoço de seu cão".

A esta altura, eu havia perdido totalmente minha paciência e gritei para meus guardas: "Executai este velho infame, por ter ousado falar com seu rei de maneira falsa e desrespeitosa!"

Quando o carrasco estava prestes a conduzir o velho homem ao cadafalso, o Embaixador dos Francos levantou-se e pediu permissão para falar.

"O que desejas?", gritei impacientemente.

"Gostaria de saber a natureza da falta cometida por teu velho conselheiro", perguntou-me com espírito ameno.

"Que falta maior pode haver que mentir para um rei?", respondi exasperado, e contei-lhe o que o vizir dissera.

"Ele pode ter razão", insistiu ele. "Além do que, executar uma pessoa sem dar-lhe chance de provar o que diz não é justo perante Deus."

"Será possível que um insignificante mercador da Pérsia, vagando em abstinência de canto a canto, seja capaz de costurar doze imensos rubis, como o meu, na coleira de um cão?", bradei ainda mais irritado.

"Nada é impossível neste vasto mundo", disse o embaixador. "Talvez tal colar tenha caído nas mãos de um simples mercador, e este tipo de gente frequentemente possui um gosto bastante peculiar e duvidoso. Mas certamente o serviço de uma vida inteira, como é o caso de teu velho e estimado conselheiro, não pode ser levianamente esquecido."

Senti minha raiva esfriar e disse: "Muito bem, então pouparei sua vida. Ele deverá passar um ano na prisão. Se um mercador da Pérsia que adorne com rubis o pescoço de seu cão puder ser encontrado, ele será totalmente perdoado. Porém, se nesse tempo suas palavras não puderem ser provadas, será executado."

O embaixador fez-me uma longa reverência, e declarei a audiência terminada.

O velho conselheiro tinha uma filha de quinze ou dezesseis anos de idade, muito bonita e também instruída nas artes da caligrafia e da música. Naquele dia, enquanto tocava alaúde em seu quarto, sua mãe apareceu e disse: "Ó minha infeliz criança, antes tivesse tido um filho cego ou aleijado em vez de ti, filha sem préstimo!"

"Querida mãe", disse ela, "o que foi que aconteceu?"

"Teu pai foi encarcerado por ordem do rei e será executado por ter dito algo que nosso soberano declara impossível ser verdade."

"O que poderia ser para provocar tão severa punição?", indagou a menina.

"Está sendo comentado em cada rua da cidade que teu pai afirmou haver um mercador persa, no bazar de Nishapur, que adorna o pescoço de seu cão com um colar de doze rubis!"

"E o que um filho cego e aleijado poderia fazer nestas circunstâncias?", perguntou a jovem à atormentada mulher.

"Ora, um filho, ainda que cego ou coxo, poderia partir e viajar aos confins da terra, até mesmo à China, para provar a verdade das palavras de seu pai", respondeu sua mãe.

"Ofereçamos nossas preces na intenção de ao menos aliviar o sofrimento de meu pai", disse a filha, procurando consolar a mãe.

Naquela noite, enquanto todos dormiam, ela se levantou da cama e foi bater à porta de sua velha ama.

"Minha boa mulher", disse ela, "se meu pai tivesse gerado um varão, ele certamente iria à Pérsia e descobriria a verdade sobre um colar de rubis no pescoço de um cão. Quero que peças a teu marido, que é tão dedicado à nossa família, que, ainda esta noite, me acompanhe à estranha cidade de Nishapur. Nada digas sobre isto à minha mãe antes do amanhecer. Estou determinada a obter a libertação de meu pai, pois sei que ele jamais faltaria com a verdade."

A mulher tentou dissuadir sua jovem senhora de partir daquela maneira; mas, vendo sua determinação em ajudar o pai, terminou por concordar. Despertou seu marido e pediu-lhe que fizesse os preparativos para a viagem, que, seguindo as instruções da jovem, carregou mulas e camelos com provisões e presentes. Quando tudo estava pronto, a filha do vizir vestiu roupas de homem e partiu com seu acompanhante.

Pela manhã, rumores sobre o desaparecimento da filha do vizir corriam a cidade, mas ninguém sabia por quê, ou para onde. E a velha ama não se atreveu a falar o que sabia, com medo de incorrer na ira de sua patroa.

Etapa por etapa, os dois viajantes venceram o caminho até Nishapur. Deixaram os animais descansando no caravançarai e descarregaram suas bagagens e mercadorias. No dia seguinte, a filha do vizir colocou um rico manto sobre suas roupas masculinas, ao estilo das pessoas de Rum, e começou a explorar a cidade. Chegando ao cruzamento de quatro grandes ruas, uma imensa loja repleta de belíssimas joias chamou sua atenção: escravos com os braços cruzados, ricamente vestidos, aguardavam para servir os fregueses; e um homem, que parecia ser o dono, conversava com várias pessoas de alta posição.

"Será este o joalheiro do qual meu pobre pai falou?", pensou a filha do vizir. "Peço a Deus que assim seja!"

Então, observando pela janela, viu dois homens dentro de gaiolas de ferro presas por ganchos ao teto: seus cabelos e unhas eram longos, e estavam sentados com as cabeças apoiadas nos joelhos. Dois gigantescos abissínios, com enormes cimitarras, postavam-se como estátuas de mármore negro ao lado das jaulas. Ela estava por demais assombrada para acreditar no que via. Entrou e deparou com o belo interior da loja. Lá dentro, sobre um banco de marfim, um enorme cão era atendido por dois empregados, que lhe serviam comida em um prato de ouro e, de vez em quando, limpavam suas mandíbulas com um lenço de seda. Com certa frequência, para refrescá-lo, abanavam o animal com um leque de plumas de pavão, como a um sultão. Aproximando-se, a filha do vizir viu o colar com doze imensos rubis que adornava o pescoço do cão.

"De que forma poderei levar esse colar ao rei e provar-lhe que meu pai é inocente?", perguntou a si mesma.

Estando seu pensamento inteiramente voltado para este problema, ela não percebeu que todos à sua volta olhavam-na fixamente. "Certamente é um mercador de memorável beleza!", comentavam entre eles.

O rico mercador, dono da loja, imaginando que fosse um homem, ficou particularmente impressionado com a elegância de seus gestos e de seu modo de vestir, e mandou um escravo convidá-lo para conversar.

Sentada na loja do mercador, a jovem percebeu que havia causado ótima impressão a todos, e riu consigo mesma, pensando como o homem pode estar sujeito às ilusões.

Com grande gentileza, após as saudações preliminares, seu anfitrião perguntou-lhe: "De que terras vens e para onde vais ao partires de Nishapur?"

"Meu pai é comerciante de belas miudezas", disse a filha do vizir, "mas, estando muito velho para viajar, enviou-me em seu lugar na busca de artigos interessantes. Na verdade, esta é minha primeira viagem; venho do reino de Rum, e Istambul é minha terra natal. Teu nome, senhor, é tão respeitado e conhecido em toda a Pérsia que me sinto honrado por ter sido convidado a partilhar o mesmo teto contigo. Porém, estava justamente a caminho do caravançarai, e não posso aceitar teu convite, pois devo cuidar de meus negócios. De todo modo, agradeço por esta agradável conversa."

"Meu querido jovem", disse o velho mercador, "por favor, fica um pouco mais. Não é aconselhável uma pessoa de tua classe permanecer no caravançarai. Além disso, eu poderia ajudar-te em teus negócios. Vem, manda buscar teus pertences, providenciarei um lugar onde possas ficar."

E, apesar de sua resistência àquela insistente generosidade, o velho mercador ordenou a um de seus vendedores que fosse ao caravançarai buscar sua bagagem. O jovem mercador, na verdade a filha do vizir, enviou um escravo com o vendedor, e o assunto foi logo resolvido.

À noite, o velho mercador fechou a loja, pegou o cão com o colar de rubis em seus braços e, tomando o jovem pela mão, conduziu-o à sua casa. Os dois abissínios colocaram as gaiolas com os homens sobre a cabeça e o acompanharam.

Quando chegaram, o jovem mercador viu que a casa do mercador era de beleza e harmonia extraordinárias, mobiliada com requinte e servida por excelente criadagem. Tapetes estendiam-se pelas margens gramadas de um regato que corria através do jardim, onde ficava o banco do cão. Os dois mercadores sentaram-se lado a lado em macias almofadas ricamente bordadas e começaram a beber, enquanto suntuosos pratos eram arrumados sobre uma toalha de linho. Porém, antes de servi-los, os criados colocaram um pouco de carne num prato para o cão. O animal comeu tanto quanto quis, bebeu um pouco de água de uma tigela de ouro, e um dos servos enxugou sua boca com um lenço de seda. Em seguida, levaram o prato e a tigela até as duas gaiolas e, abrindo-as, retiraram os dois homens ali confinados. Os servos bateram repetidas vezes nos homens com uma vara, fazendo-os comer e beber do prato e da tigela do animal; depois reconduziram-nos para dentro das gaiolas sob pancadas, trancaram as portas e entregaram as chaves ao velho mercador.

Quando tudo terminou, o anfitrião começou a comer. O jovem mercador, no entanto, não conseguia tocar em nenhum alimento.

"Por que não comes, meu amigo?", perguntou o velho.

"Este comportamento me é completamente repulsivo", respondeu o jovem. "Aqui está um cão, servido por criados e tendo suas presas limpas ao toque da seda; e ali dois homens em gaiolas, teus prisioneiros, alimentados com os restos da comida do animal? Certamente, ninguém que pertença à raça humana pode suportar tal degradação sem enlouquecer."

"Antes de julgares o que vês, deves ouvir minha história, pois assim teu espírito poderá apaziguar-se", disse o mercador. "Mas não posso contá-la antes de conhecer-te melhor. Minha própria história é por demais triste para mim; assim, peço-te permissão para guardar silêncio sobre este assunto."

"Muito bem, se não queres falar sobre isto, não te pressionarei mais", disse a filha do vizir, pensando que deveria permanecer com ele até que, de alguma maneira, conseguisse apoderar-se do colar do cão. Dois meses se passaram sem que ninguém sequer suspeitasse que o jovem mercador era na verdade uma mulher.

Um dia, ela disse a seu anfitrião: "Temo ter de partir dentro em breve; não me é mais possível permanecer aqui. Devo submeter meus assuntos comerciais à apreciação de meu pai, que sem dúvida me espera com grande impaciência".

"Ó meu excelente jovem!", disse o velho mercador, "não podes deixar-me agora que estou tão afeiçoado a ti; sabe que não tenho filhos e quero tornar-te meu herdeiro. Escreve a teus pais e convida-os a vir até aqui, o mais rápido possível, pois assim posso transferir meus negócios para tuas mãos e cuidar de ti como a um filho querido. Agora que estou ficando velho e me preparo para a morte, espero que, chegada a hora, chores por mim e fiques com tudo o que deixo neste mundo."

"É verdade que, durante este pouco tempo em que nos conhecemos, foste para mim mais que um amigo e me dedicaste o amor de um verdadeiro pai", respondeu o jovem. "Mas meu próprio pai é muito velho para viajar até aqui; além do mais, suas instruções são urgentes e não posso desobedecê-lo. Talvez, no futuro, possa retornar para ver-te, mas essa é uma possibilidade remota."

"Bem, meu querido rapaz", disse o velho, "se não podes permanecer aqui, então deverei acompanhar-te na viagem de volta a Rum, lugar que sempre desejei conhecer."

Assim, rapidamente, todas as providências foram tomadas e eles partiram. O cão com o colar de rubis foi levado na caravana, e também os homens nas gaiolas. Estavam apenas a poucos quilômetros de Istambul, quando a caravana acampou num lugar de onde se avistavam as belas cúpulas da cidade.

"Devo ir na frente e avisar meus pais de nossa chegada e providenciar acomodações para ti", disse o jovem mercador; o velho assentiu e a filha do vizir partiu a galope.

Ela chegou à casa dos pais e rapidamente galgou os degraus até os aposentos de sua mãe. Uma das escravas gritou: "Senhora!

Senhora! Há um invasor na casa. Faz que seja açoitado!" Mas a filha do vizir despiu-se de seu disfarce, dizendo: "Mãe, sou eu, tua filha".

"Ó vergonha!", gritou a boa mulher. "Retornas desonrada depois de tanto tempo, e teu pai continua na masmorra enquanto perdura o descontentamento do rei!"

"Acredita-me", disse a moça, "continuo tão casta como quando te deixei. Vesti-me como homem durante a jornada e, todo o tempo, tive o marido de minha ama como guarda. Graças a este disfarce, consegui trazer até aqui o mercador da Pérsia, dono do cão com o colar de rubis, do qual meu pai falou ao rei."

Então, percebendo que tudo estava bem, a mãe abençoou a filha e disse: "Creio em ti; agora vai e faz o que for necessário para ajudar teu pai a recuperar seu bom nome".

A filha do vizir vestiu novamente seu traje masculino e retornou ao velho mercador que, impaciente com sua ausência, cavalgava ao seu encontro em grande ansiedade.

Mais tarde, enquanto estavam sentados ao lado das tendas, bebendo refresco de frutas gelado e fumando o narguilé, um dos caçadores do rei passou por ali. Vendo a magnificência das tendas, os servos e o cão com o colar de rubis, o caçador deteve-se e sentou-se para beber e fumar em sua companhia. Ao partir, sua expressão era de espanto, pois presenciara o tratamento dispensado ao cão e aos dois homens nas gaiolas. Encaminhou-se diretamente à corte e descreveu o que vira.

Passo a passo, a história chegou a meus ouvidos, e imediatamente ordenei a meus carrascos que procurassem o velho mercador e cortassem sua cabeça, pois é um crime imperdoável tratar melhor a um cão que a seres humanos, não importa quão vis e degenerados estes fossem.

Por coincidência, o Embaixador dos Francos, que ali estivera antes, também desta vez estava presente. Um sorriso passou rapidamente por seus lábios, o que me deixou irritado.

"É muito rude de tua parte exibir os dentes em minha presença sem uma razão adequada", disse-lhe com exasperação, e perguntei: "Por que sorriste?"

"Senhor", ele disse, "estava simplesmente pensando que agora podemos ter certeza de que teu antigo conselheiro estava realmente falando a verdade, e, por isso, deveria ser libertado. Parece-me também bastante estranho que Vossa Majestade, mais uma vez, possais ordenar a morte de um súdito de tal nobreza e valor apenas por ter ouvido uma história contada por uma pessoa fútil. Descobre, antes, a razão desse cão ser tratado como um príncipe, e o que se esconde por trás dos homens nas gaiolas. Isso pode vir a ser uma história muito interessante."

Então, ordenei que o mercador, o cão, as gaiolas e tudo o que se relacionasse ao caso fosse trazido à minha corte. Quando chegaram, todos os nobres estavam assombrados com aquelas estranhas coisas, e muitos mostraram-se encantados com as belas feições do jovem que acompanhava o velho mercador; ambos vestiam mantos dos mais finos tecidos e brocados, dignos de um rei.

O jovem mercador presenteou-me uma bandeja dourada, com uma linda caligrafia gravada, sobre a qual havia várias das mais brilhantes pedras de todos os países banhados pelo sol: opalas, cornalinas, turquesas, diamantes, rubis, lápis-lazúlis, com pepitas de ouro intercaladas entre elas. Aceitei o tributo com prazer, mas quando o velho mercador aproximou-se do trono para reverenciar-me, não pude conter minha ira.

"Ó demônio em forma de homem!", bradei. "Como podes tratar assim estes infelizes e idolatrar um cão imundo? Que credo é o teu que te faz adorar a um animal dessa maneira?"

"Ó grande rei!", replicou o velho mercador, "sou um verdadeiro muçulmano, mas não posso revelar meu segredo a ninguém, nem mesmo à vossa nobre pessoa. Em todos os lugares onde vivi, fui forçado a pagar impostos em dobro, e os homens chamavam-me de 'adorador de cão'; por isso minha vida não tem sido fácil de suportar. Mas ainda assim nada direi em minha defesa."

"Mas deves falar!", gritei. "Este teu comportamento não pode continuar sem uma explicação. Se persistires em teu silêncio, deverei impor-te as mais penosas torturas até que tua língua se solte!"

"Majestade, peço que não derrames meu sangue ou o de meu filho adotivo por causa de minhas aparentes más ações", disse o mercador. "Por favor, eu vos imploro, se sois tão bondoso quanto poderoso, deixai-nos ir e não penseis mais neste assunto."

"Tolo! Não serás libertado enquanto não contares a verdade a mim e a todas as pessoas que aqui estão reunidas", disse-lhe. "Começa então tua história e eu serei teu juiz."

"Pois bem, venerável soberano, a vosso comando contarei tudo", disse o homem, "muito embora preferisse sofrer todas as torturas do mundo a revelar meu segredo. Escutai, e sabereis de tudo. Mas antes mandai buscar as gaiolas e libertai os dois homens que ali estão presos pois eles também deverão ouvir o que tenho a dizer."

Por minha ordem, os dois homens foram libertados e sentaram-se no chão à nossa frente, as cabeças afundadas entre os joelhos, na mais depressiva desolação.

"Começa a falar, velho homem!", ordenei.

E ele iniciou sua história:

Ó poderoso rei! O homem à minha direita é meu irmão mais velho, e à esquerda está meu irmão do meio. Sou o mais novo dos três, e meu pai era um mercador nas terras da Pérsia. Quando eu tinha cerca de quatorze anos, nosso pai morreu, e mal os rituais fúnebres terminaram, meus irmãos começaram a falar sobre nossa herança.

"Vamos dividir o dinheiro", disseram, "e cada um de nós fará o que quiser com sua parte."

"De que me serve esta divisão?", perguntei. "Sou apenas um menino, e não saberei o que fazer com minha parte se a colocardes à minha frente. Por favor, sede como meu pai era para mim; dai-me minha comida diariamente e, à noite, deixai-me dormir em nossa velha casa, e serei feliz."

"Sim, tu és um menino ignorante", disseram meus irmãos. "Não sabes nem mesmo ler ou escrever; portanto, cuidaremos de tua parte da herança, e assim evitaremos que a gastes de maneira imprópria."

Apesar da tristeza que sentia pela ausência de meu pai, eu estava satisfeito, e decidi confiar minha vida a meus irmãos.

No dia seguinte, para minha surpresa e aflição, eles disseram: "Estamos precisando do quarto que ocupas, segue teu caminho e trata de encontrar outro lugar para ti".

Como havia sido o filho favorito de meu pai, frequentemente ele me trazia raridades das terras distantes que visitava, e fui capaz de vendê-las aqui e ali, conseguindo assim alguns recursos. Com a pequena soma que levantei com estas vendas, iniciei meu próprio negócio. De dia, eu mesmo me encarregava das compras e das vendas e, à noite, dormia em minha humilde loja. Em três anos comecei a ter sucesso. Comprei uma casa modesta, e sempre conseguia obter no bazar o suficiente para levar uma boa vida. Era respeitado e até mesmo feliz, embora tivesse sido expulso da casa de meu pai por meus irmãos sem a menor consideração. Desde então, este cão tem sido meu único e devotado companheiro.

Certo dia, meu escravo abissínio retornou de uma entrega trazendo terríveis notícias. "Ó amo", disse-me quase sem fôlego, "teus irmãos estão sendo açoitados na praça do mercado por um homem furioso, que diz que irá castigá-los até a morte se não pagarem a enorme soma de dinheiro que lhe devem! É algo horrível de se ver, eles estão num estado lastimável!"

Corri à praça do mercado e vi meus irmãos sendo cruelmente castigados, conforme descrito pelo escravo. Perguntei ao homem quanto deviam. "Duas mil peças de prata", foi sua resposta.

Então, enviei um criado ao porão de minha loja, onde meu dinheiro estava guardado. Paguei a dívida de meus irmãos e eles foram libertados. Depois, levei-os à minha casa para que fossem banhados, vestidos e tratados, pois estavam feridos, imundos e maltrapilhos. Nem por um momento perguntei-me o que teriam feito com a fortuna de meu pai, ou se deveria tê-los trazido para dentro de minha casa, depois da forma como me haviam tratado.

Algum tempo depois, quando já estavam recuperados das chicotadas, falei-lhes gentilmente: "Agora, irmãos, vos darei algumas mercadorias e camelos para que vos junteis à caravana comercial que parte para os países ricos, assim podereis fazer algum dinheiro por conta própria".

Vários mercadores haviam organizado uma caravana que viajaria até a região de Bokhara, e enviei-os juntos para que tivessem companhia e segurança.

O tempo passou, mais ou menos um ano desde o dia em que partiram para Bokhara; durante todo este tempo, não tive notícia alguma dos dois. Comecei a ficar ansioso e fiz algumas investigações. Porém nada pude descobrir de seu destino.

Finalmente, a caravana retornou e interroguei um ou dois membros da expedição. "Ah sim", disseram, "teus dois irmãos chegaram em segurança a Bokhara, mas lá começaram a jogar dados com todos que os convidassem e a frequentar não apenas casas de jogos. Um deles perdeu tudo o que tinha, e agora é varredor numa dessas casas, um criado de todos os que ali vão. Seu outro irmão acabou por enredar-se com a filha de um vendedor de suco de figo, e gastou todo seu dinheiro em presentes para seduzi-la. Agora, é um empregado nesse lugar e passa seus dias fazendo e vendendo suco de figo, e parece que nunca será capaz de sair dali."

Fiquei transtornado com essas notícias e, no mesmo instante, decidi ir a Bokhara ajudar meus irmãos. Após longa e cansativa viagem, encontrei-os e, para encurtar uma longa história, resgatei-os. Dei-lhes roupas novas e dinheiro, e levei-os para morar numa casa que havia comprado especialmente para eles.

Após terem recuperado as forças, novamente dei-lhes mercadorias e animais de carga de boa qualidade, e retornei com eles a Nishapur. Quando estávamos já próximos de nossa cidade natal, deixei-os num pequeno vilarejo com as mercadorias e retornei em segredo à minha própria casa, pois dessa forma ninguém ficaria sabendo nada a respeito do que se passara. Contei a todos na cidade que meus irmãos haviam retornado em segurança do estrangeiro, e voltei ao vilarejo para acompanhá-los até Nishapur. Qual não foi a minha surpresa e decepção ao deparar com o chefe da aldeia gritando e lamentando-se: "Todos os nossos lindos cavalos e nosso gado foram roubados, tudo por causa de teus irmãos! Quisera Deus não os tivesses deixado aqui!"

"Por quê, o que foi que aconteceu?", perguntei. "Conta-me tudo, não escondas nada."

"A rica caravana de mercadorias que teus irmãos estavam guardando aqui nesta aldeia, que não possui fortificações para nossa proteção, foi saqueada por bandidos que ouviram falar de sua chegada", disse o aldeão. "Não só levaram tudo o que era de teus irmãos, mas também cada cavalo que possuíamos e todos os nossos animais domésticos. E agora, o que vamos fazer?"

Respondi que os indenizaria por tudo o que haviam perdido e perguntei: "Onde estão meus dois irmãos agora?"

"Estão sentados do lado de fora da aldeia, nus e completamente desolados", ele respondeu.

Imediatamente, apanhei duas túnicas e alguma comida, e levei-os de volta à cidade. Por três meses, hospedei-os em minha casa, e durante todo esse tempo não moveram um só dedo para trabalhar.

Em pouco tempo, como era meu costume, preparei uma nova e rica expedição comercial e, para tirá-los do ócio, levei-os comigo para que ao menos me fizessem companhia. Nosso navio estava içando as velas, quando me dei conta que meu cão havia ficado para trás. Nesse momento, ouvi latidos e o som da água agitada, e vi que o animal tentava nadar até nós. Enviei um pequeno barco, que o trouxe a bordo em segurança.

Meus irmãos, sem nada que ocupasse suas mentes, começaram a tramar contra mim. Certamente sentiam-se incomodados por dependerem de meu favor para sobreviver. Estavam decididos a destruir-me, com o propósito de dividir entre si todos meus bens, garantindo, assim, uma boa vida. Um dia, quando estava em minha cabine, meu segundo irmão entrou e disse-me com entusiasmo: "Vem ao convés, há uma coisa maravilhosa que gostaria de mostrar-te. Nunca viste nada igual em toda tua vida!"

O cão seguiu-me, como de costume; onde quer que fosse, estava sempre a meu lado. Meu irmão mais velho estava debruçado na amurada do navio e olhava para algo no fundo da água.

"É espantoso!", disse ele excitado. "Vê, tudo lá embaixo é tão maravilhoso!"

Comecei a olhar para onde ele apontava e, sem que nada pudesse fazer, meu irmão empurrou-me pelas costas. Caí na água e, em poucos segundos, as ondas levaram-me para longe da embarcação. Em pouco tempo, estava completamente exausto, tentando manter a cabeça fora da água. Então, percebi que meu cão estava na água comigo, nadando vigorosamente em minha direção. Quando fui empurrado, ele deve ter saltado atrás de mim, pensando apenas em estar comigo e nada mais. Agarrei-me a seu rabo e ele puxou-me até a costa.

Após minha longa permanência na água, fiquei sem sentidos por um dia inteiro, estirado semi-consciente na areia da praia; até que escutei os latidos do cão, como se estivesse tentando despertar-me para a vida. Olhei em torno e vi, ao longe, uma pequena cidade. Caminhamos naquela direção e encontramos uma montanha, onde passamos a noite descansando. No dia seguinte, conseguimos finalmente alcançar a cidade. Andando pelas ruas, repentinamente vi dois homens vestidos como persas, com roupas do mais fino brocado.

"Pedirei ajuda a esses compatriotas", pensei, "eles me darão assistência".

Fui atrás deles. Caminhavam rindo e brincando. Quando me aproximei, para meu espanto, reconheci meus dois irmãos. Eles pararam de rir assim que me viram, e meu irmão mais velho golpeou-me com um pesado bastão que tinha nas mãos. Agarrei-me à túnica de meu outro irmão, pensando que ele me salvaria do primeiro, mas ele também atacou-me impiedosamente. Implorei que me socorressem, pois estava exausto e ferido; mas apesar de minhas súplicas não tiveram compaixão.

Uma grande multidão formou-se à nossa volta, que começou a perguntar: "O que fez este desafortunado para ser tratado de maneira tão cruel?"

Para meu horror, ouvi meus dois irmãos dizerem: "Este patife era nosso servo e empurrou nosso querido irmão caçula no mar, roubando todos os seus tesouros. Há muito tempo o procurávamos, e agora o encontramos neste disfarce". E continuaram a me caluniar, dizendo: "Ó homem perverso! Depois de assassinar nosso pobre e amado irmão de maneira tão infame, pensaste que poderias escapar à nossa vingança? Tu deves ser executado!"

Fiquei completamente mudo e, antes que pudesse protestar, fui arrastado por meus irmãos perante um juiz e acusado de ter assassinado a mim mesmo. Fui amarrado a um poste no meio de uma planície e sabia que estava condenado à morte. Exceto esse cão, não havia ninguém no mundo para chorar por mim. Ele lambia meus pés e ladrava para todos os que se aproximavam. Alguns batiam-lhe com paus, outros atiravam-lhe pedras.

Eu não sabia de que maneira encontraria minha morte, talvez por decapitação. Minha mente estava completamente entorpecida; sentia-me tão indefeso pela forma que meus irmãos haviam retribuído minha bondade, que tudo aquilo roubava-me a pouca presença de espírito que me restava. Os acontecimentos, no entanto, sofreriam uma estranha reviravolta.

O rei daquela região foi acometido por uma terrível dor em seu coração. Todos os remédios que lhe foram dados não surtiram efeito algum, e ele sentia-se cada vez pior. Como é comum nessas ocasiões, uma legião de médicos e curandeiros fizeram suas sugestões, tudo sem resultado. Por fim, um homem santo aconselhou: "Um grande remédio nestes casos é libertar todos os prisioneiros".

Assim, no último momento, fui salvo pela misericórdia divina. Um soldado galopou em minha direção e, com um único golpe de espada, cortou as amarras que prendiam minhas mãos.

"Quando a vida do rei é ameaçada", gritou ele, "quem condenaria à morte um pobre diabo?"

Estava livre. Fiquei andando a esmo, sem saber o que fazer de minha vida, nem onde procurar meu sustento.

Meus perversos irmãos ainda não tinham conseguido acabar comigo. Porém, assim que souberam de minha libertação, ofereceram suborno a um oficial para que forjasse uma nova acusação, e fui recapturado e trancafiado na cela de uma prisão, sem comida nem água.

"Logo morrerá", dizia um irmão ao outro, "pois, no estado em que se encontra, não resistirá por muito tempo."

Este calabouço ficava nas entranhas de uma montanha, um fosso tão profundo que devia ter sido uma das minas do rei Salomão, o chefe dos *djinns* e das bestas encantadas.

Ó grande rei Azad Bakht!, este cão acompanhou-me àquele horrendo lugar, e quando fui aprisionado naquele fosso, permaneceu lá em cima, deitado na beirada, à minha espera.

Cheguei a sentir uma fome tão terrível, que acreditei já estar morto e que aquele lugar era minha sepultura. Subitamente, ao longe, ouvi o som de duas vozes. Pensei tratar-se de seres celestiais, talvez Munkir e Nakir, os anjos que aparecem na hora da morte para relembrar os pecados e as boas ações de cada ser humano. No entanto, perscrutando a escuridão, percebi que não estava sozinho; havia outros prisioneiros que comigo dividiam aquela horrível masmorra.

"Quem sois vós?", perguntei reunindo minhas poucas forças.

"Prisioneiros como tu", responderam.

"Então estou vivo?!", exclamei.

"Sim, mas logo morrerás", disseram, e então ouvi estranhas risadas e o som de ossos sendo roídos.

Na verdade, eu estava mais morto que vivo. Após o tempo que passei no mar, o espancamento que sofri e a angústia pelo estado em que me encontrava, já não sabia o que pensar, e pedia a Deus para que me libertasse, mesmo que através da morte.

De tempos em tempos, alguém baixava um balde com alguma comida e um jarro d'água. Porém, os outros prisioneiros comiam e bebiam tudo, sem que nada restasse para minha subsistência.

Este cão, observando e usando a incomum inteligência de que fora dotado, ou talvez guiado pela providência divina, encontrou um modo de ajudar-me. Correu até a cidade e abocanhou uma torta no bazar e fugiu carregando-a na boca. Embora perseguido por meninos que o crivavam de pedras e torrões de terra, ele não a soltou até alcançar a prisão. Então, atirou a torta no fosso em que estava aprisionado e começou a latir para chamar minha atenção. Graças a seu aviso, consegui ver o alimento e comê-lo antes que os outros viessem averiguar o que se passava. Depois, foi até uma casa nas redondezas, onde vivia uma velha senhora. Quando ela carregava um pouco de água do poço para sua cozinha, o cão começou a pular e a latir; corria um trecho do caminho, voltava e latia novamente, até que a mulher entendeu o que ele queria. Ela pegou o balde d'água e o seguiu. Meu cão guiou-a à montanha, e a velha senhora, observando seu comportamento, compreendeu que o seu dono estava confinado naquela prisão. Sendo uma mulher bondosa e compassiva, baixou o balde até onde eu estava, e assim pude beber meu primeiro gole d'água em muitos dias.

Desta forma, este animal conseguiu dar-me de comer e beber; todos os dias trazia-me algum alimento, enquanto a velha senhora trazia-me água. Por seis meses, esta fiel criatura supriu minhas necessidades; sem sua ajuda, eu não teria sobrevivido mais que alguns dias.

Uma noite, enquanto os outros prisioneiros dormiam, senti-me extremamente leve e pensei que jamais veria a luz do dia novamente. De repente, vi uma corda balançando dentro de minha cela, e ouvi uma voz sussurrando com urgência: "Sobe pela corda e foge de teu castigo!"

Rapidamente, galguei a corda e, chegando ao topo, uma figura nas sombras ajudou-me a ficar em pé. Comecei a indagar quem me resgatara de maneira tão ousada, mas ele disse: "Depressa, não podemos ficar aqui". Fui ajudado a montar na sela de um dos dois cavalos que aguardavam já prontos e saímos a galope, seguidos por meu cão.

Ao amanhecer, quando já tínhamos percorrido boa distância, meu companheiro virou-se em sua montaria e, olhando-me no rosto, disse: "Em nome de Deus, quem és tu?" Era um jovem de bela figura, inteiramente vestido numa cota de malha, com uma grande espada na mão. Ele mordia os lábios, aflito, enquanto me olhava.

"Sou um viajante", respondi. "Tenho enfrentado terríveis adversidades, e agradeço-te do fundo de meu coração por me teres resgatado. Mas quem pensavas que eu fosse?"

"Isto agora não importa", respondeu. "Vamos, precisamos continuar cavalgando."

Assim o fizemos, até que chegamos a um bosque. Desmontamos de nossos cavalos e, enquanto eles pastavam, sentamo-nos juntos.

"Ó tu de perverso destino!", exclamou o cavaleiro, "dize-me teu nome e país de origem."

Contei-lhe tudo a meu respeito, do começo ao fim, sem omitir nenhum detalhe. Quando acabei minha narração, o jovem confessou ter muita pena de minha situação e também contou-me sua história:

"Na verdade, sou uma mulher, filha de um rajá das terras do Hindustão, e o jovem que pensei estar resgatando da prisão em que te encontravas chama-se Bahramand.[11] É o filho do primeiro-ministro de meu pai, e por ele estou apaixonada. Tornamo-nos amantes logo após nosso primeiro encontro, mas alguém contou a meu pai sobre nosso amor, e ele foi jogado na cela da montanha, como tu.

"O outro homem ali aprisionado é seu irmão, os dois estavam juntos na noite em que a guarda de meu pai o encontrou, e já se passaram três anos desde que foram enviados àquele horrível

11. *Bahar-mand*: em persa significa "aquele que chega com a primavera", ou "possuidor da primavera", ou "primaveril".

lugar. Todas as semanas, eu me disfarço com estes trajes de guerreiro para entregar alguma comida a eles. Na noite passada, tive um estranho sonho, no qual uma voz disse em meu ouvido: 'Vai até a cova onde já estiveste antes, joga uma corda e salva-o'. Pensando que aquela voz celestial orientava-me para salvar meu amado, apressei-me a cumprir o que me fora ordenado. Talvez fosse teu destino ser resgatado. Talvez, se preferires, tenha sido a voz de um anjo designado para proteger-te desde teu nascimento. De qualquer modo, está feito!"

Inclinei-me para beijar as mãos da bela e valente dama, mas ela afastou-me, dizendo: "Não me agradeças por isto, sou apenas um instrumento".

Ofereceu-me comida e deu-me algo para beber, o que reanimou meu espírito. Cortou-me os cabelos e as unhas, e arranjou-me uma roupa de excelente tecido para vestir. Depois dos horríveis andrajos que há tanto tempo eu usava, essas roupas pareciam-me além de qualquer valor. Então, pus-me de joelhos e agradeci de todo coração pela minha liberdade.

"O que estás fazendo?", perguntou a jovem.

"Estou orando a meu Deus", respondi, "pois não há outro senão Ele, e Muhammad é o Seu profeta."

"Deves instruir-me em tua religião", disse ela, "estou muito impressionada com a força de tua fé."

Recitei o credo islâmico (*shahadah*) e pedi-lhe que o repetisse, então ela confessou-se agradecida por tornar-se muçulmana.

Juntos — eu, ela e meu cão —, seguimos viagem. Após um longo tempo, chegamos a um país não muito distante do Ceilão. O clima era ameno, e o povo feliz e encantador. Mais uma vez, iniciei nova vida. Comprei uma casa e casei-me com a filha do rajá, e juntos nos estabelecemos numa vida de paz. Passados três anos, durante os quais me dediquei ao comércio, negociando com grande eficiência, havia superado todos os outros mercadores da região.

Um dia, ao sair para tratar de meus negócios, vi uma grande multidão apedrejando dois homens que, ao que parecia, haviam sido apanhados cometendo adultério e roubo. Com as mãos atadas às costas, incapazes de proteger suas cabeças e corpos da fúria das pedras — assim encontrei novamente meus dois irmãos.

Ao vê-los em tão terrível situação, meu coração abriu-se para eles. Dei aos guardas uma bolsa com moedas de ouro, pedindo que adiassem a execução por alguns instantes. Fui à casa do governador e, presenteando-o com uma joia de valor inestimável, intercedi por suas vidas.

"Sinto muito", disse o governador, "mas pessoalmente nada posso fazer. Esses dois foram pegos cometendo as ofensas mais hediondas, e seu caso está fora de minha alçada."

Fui, então, procurar os queixosos. Depois de muita negociação, aceitaram cinco mil peças de ouro para retirarem as acusações.

Ó Protetor dos Necessitados!, pergunta a meus irmãos que aqui estão diante de ti se digo alguma coisa além da mais pura verdade!

Consegui libertá-los, arrumei um lugar para que se banhassem, vesti-os com roupas e botas novas, forneci-lhes turbantes caros e cintos da mais fina prata enfeitados com pedras preciosas. Levei-os à minha casa e eles, mais uma vez, voltaram a viver na opulência.

Certo dia, saí para cavalgar e deixei-os sozinhos em minha casa. Enquanto estava ausente, minha esposa — a quem, por minhas próprias razões, não lhes havia apresentado — voltava dos banhos, quando o vento, por acaso, levantou o véu de seu rosto. Tão logo viu seu rosto, meu irmão do meio, que estava deitado num sofá da sala de visitas, foi possuído pelo desejo. Então, procurou meu irmão mais velho e, novamente, juntos, tramaram contra minha vida.

Enquanto isso, dizia a mim mesmo: "Louvado seja Deus! Parece que eles não estão fazendo nada de errado desta vez". Mas, como diz Saadi,[12] mostrar clemência para com os criminosos é expor os inocentes à maldade.

---

12. Trata-se do mestre sufi e poeta persa Saadi de Shiraz (séc. XIII), autor do *Bustan* (*A Floresta*) e do *Gulistan* (*O Jardim das Rosas*).

Um dia, meu irmão mais velho começou a suspirar e a lamentar-se, dizendo que seu coração ansiava por voltar à Pérsia, nosso país natal; e também meu outro irmão começou a chorar.

"Se desejais voltar para casa, sem dúvida deveis fazê-lo", disse-lhes; "também irei convosco."

Comuniquei à minha esposa que eles estavam com saudades de casa, e que iríamos juntos nesta viagem. Ela, uma criatura sensata e previdente, advertiu-me: "Não te deixes iludir, meu amado, pois suspeito que tenham algum terrível plano para prejudicar-te. Depois de tudo o que fizeram contigo, sei que não podes confiar em teus irmãos."

Mas, em meu coração, não conseguia sentir mais nenhum rancor em relação a eles. Tranquilizei-a e disse adeus. Fui eleito o chefe da caravana e iniciamos nossa jornada. Ao anoitecer, armamos nossas tendas e sentei-me junto a meus irmãos, para comer.

"Não muito distante daqui, há um lugar maravilhoso", disseram, "com árvores de todos os tipos, pássaros cantando, flores de rara beleza e córregos murmurantes. Amanhã, antes de retomar a caminhada, vamos até lá e desfrutaremos por alguns momentos as maravilhas da natureza."

Ao amanhecer, mandei selar meu cavalo para lá chegar mais rapidamente. Mas eles disseram: "Não!, vamos a pé para melhor saborear a paz e a tranquilidade do passeio."

À frente, seguíamos eu, meu cão e meus irmãos. Dois cavalariços guiavam os cavalos a uma certa distância, e dois servos traziam a cafeteira e o narguilé. Durante a caminhada, nos divertimos atirando flechas para o ar. Algum tempo depois, meus irmãos mandaram os servos embora, sob o pretexto de realizarem incumbências sem importância.

Logo, descobri que em vez de fontes e roseiras, árvores e água, nada havia ali senão uma vasta planície coberta de espinhos. Virei-me para perguntar o significado de tudo aquilo, quando meu cão latiu, dando o alarme. Mas já era tarde, não havia mais salvação para mim. Naquele instante, a espada de meu irmão mais velho golpeou-me a cabeça com tanta força que desfaleci de dor. Antes que pudesse recobrar os sentidos, recebi mais a lâmina de meu outro irmão, que atingiu meu ombro. O cão tentava atacá-los e defender-me com o melhor de sua habilidade, mas pouco pôde fazer. Ele também fora ferido e estava num estado lastimável. Então, meus agressores fizeram pequenos cortes em si mesmos e, manchados do meu e do próprio sangue, saíram gritando em direção a caravana: "Correi, pelas vossas vidas! Os ladrões estão chegando; rápido, ou perderemos nossas vidas e bens!"

Ouvindo isto, todos puseram a caravana em marcha, e logo desapareceram de vista.

Quando minha querida esposa soube que eu havia sido "assassinado por ladrões", imediatamente apanhou uma adaga e tirou a própria vida, para não cair em poder de meus irmãos.

"Ó homens!, que nunca aconteça a nenhum de vós o que comigo aconteceu! Olhai estas cicatrizes!" — e retirou o turbante para mostrar a enorme ferida causada pela espada do irmão, e descobrindo o ombro, revelou a cicatriz feita pela lâmina do outro.

Meus irmãos acreditavam estar livres de mim. Eu jazia imerso em meu próprio sangue, aparentemente morto, e também meu cão, deitado a meu lado, exaurido pela perda de sangue.

Pois bem, aquela era a região de Sarandip e, não muito longe dali, havia uma próspera cidade. Lá vivia um grande rei, que tinha uma filha de admirável beleza. Muitos nobres e príncipes já haviam declarado seu amor e desejavam desposá-la.

Durante um passeio, cavalgando perto de onde eu caíra, cercada por damas de companhia, essa bela princesa apareceu. Ao me avistarem, as servas correram à sua senhora, gritando assustadas: "Um pobre homem e seu cão agonizam numa poça de sangue, cobertos de ferimentos."

A princesa mandou que verificassem se eu ainda estava vivo. "Ainda respira", disse uma velha criada, encostando sua cabeça em meu peito.

"Louvado seja o Grande Ídolo!", exclamou a princesa. "Vamos levá-los conosco."

Fui colocado sobre um tapete e cuidadosamente carregado ao jardim particular da princesa. Um médico foi chamado para cuidar de meus ferimentos; fui banhado, vestido e medicado.

Quanta sorte tive de ser amparado por mãos piedosas! Em minha convalescença, a jovem sentava-se junto a meu leito e, com mãos de fada, alimentava-me com mel e sorvetes. Quando finalmente recuperei a consciência, a princesa estava inclinada sobre mim, com seu véu bordado com rubis do Ceilão, vermelhos como o sangue dos pombos.

"Quem fez isto contigo?", perguntou-me. "Será que não teme a fúria e do poder do Grande Ídolo?"

Estava tão fraco pela perda de sangue, que não conseguia falar; pude apenas esboçar um sorriso. A jovem princesa também sorriu e disse: "Descansa, ó persa, nada há a temer. Aqui serás bem cuidado. O Grande Ídolo demonstrou clemência para contigo e permitiu que sobrevivesses". Então, borrifou-me o rosto com água de rosas, de rara fragrância que jamais sentira antes, e adormeci.

Transcorridos quarenta dias, eu estava completamente curado. A princesa recompensou regiamente o médico; depois, vestiu-me com o mais puro linho. Meu bom cão também se recuperara, e não deixava minha companhia um momento sequer.

Eu e a princesa passávamos os dias conversando, e ela se divertia muito com o relato de minhas viagens. Partilhamos bons momentos e tornamo-nos amigos, mas nunca mencionei os infortúnios que sofri.

Um dia, porém, ela me perguntou, curiosa: "Ó persa!, conta-me a história de tua vida, e por que foste ferido daquela forma?"

Relatei minha verdadeira história, do começo ao fim. Enquanto abria meu coração a seu amável interesse, as lágrimas corriam de meus olhos. Ela compartilhou minha tristeza e também chorou. Contei-lhe como fui traído por meus irmãos, e como fui separado de minha amada esposa, que, sabia, perdera para sempre.

"Eu te ajudarei a esquecer, pouco a pouco, tudo o que te magoou", disse ela, tentando consolar-me.

"Deus te abençoe! Salvaste minha vida e a devolveste a mim, jamais serei capaz de agradecer-te o bastante."

Costumávamos ficar juntos até tarde da noite, sempre acompanhados de uma ama, que escutava nossas conversas e aspirações. Sempre que ficava sozinho, eu recitava minhas preces. Porém, certa vez, acreditando estar em perfeita privacidade, a princesa entrou em meu aposento e viu-me rezando ajoelhado.

"O que estás fazendo?", gritou perplexa. "Que estranhas posturas são estas?"

Ela ria muito alto, enquanto eu virava a cabeça da esquerda para a direita, terminando a prece com as palavras "*As-Salâm--aleikum*". Porém sua ama, que seguia atrás dela, murmurou: "Parece-me, princesa, que este homem é seguidor de Muhammad, que venera um Deus invisível".

"Céus!", gritou a princesa, batendo com a mão na testa. "Eu não fazia a menor ideia de que eras este tipo de homem. Um descrente do Grande Ídolo! Oh!, que grande erro cometi, salvando-o e acolhendo-o até agora sob meu imaculado teto!" E assim, chorando e muito angustiada, ela se retirou.

Aguardei vários dias, mas ela não voltou a visitar-me. Desanimado, esperei mais três dias e três noites, tentando entender o que poderia tê-la perturbado daquela forma, pois não via mal algum em ser um servidor de Deus; e, de minha parte, não a censurava por ser uma idólatra.

À meia-noite do terceiro dia, quando já havia abandonado qualquer esperança de voltar a vê-la novamente, a princesa entrou em meus aposentos. A ama estava com ela, amparando-a. Vi que seus olhos estavam turvados pelo vinho, a face rubra, os passos vacilantes. Trazia nas mãos um arco e uma flecha, feitos do mais puro ouro e marfim. Sentou-se na beira do tapete, pediu mais uma taça de vinho e, após bebê-lo de um só trago, perguntou: "Ó ama, aquele desprezível persa que venera o Deus invisível já partiu?"

"Não, minha senhora", ela respondeu, "ele ainda está aqui."

"Traze-o a mim", ordenou a princesa.

A ama conduziu-me à sua senhora; fiquei imóvel, não muito longe dela. A princesa estava tão enfurecida que seu corpo tremia. Por um momento, lançou-me um breve olhar de pura ira; mas desviou os olhos dos meus e dirigiu-se à sua ama, dizendo: "Se matar este infiel com minhas próprias mãos, o Grande Ídolo talvez me perdoe. Afinal, aos olhos da divindade, não cometi um crime mantendo-o aqui e alimentando-o sob meu teto?"

"Ó querida princesa!", replicou a ama, "não sabias quem ele era quando o salvou. Em tua piedade, agiste generosamente. Portanto, nenhuma culpa te pode ser imputada por isso. No momento oportuno, o Grande Ídolo punirá este homem por sua infidelidade."

"Ama", disse ela, com a mão ainda empunhando o arco, "diz a este infiel para sentar-se."

Antes que a ama repetisse a ordem, eu já estava de joelhos. A princesa tomou outra taça de vinho e pediu à mulher que me servisse também. Era um vinho muito denso e vermelho.

"O vinho aliviará a dor de minha flecha", murmurou. E, dirigindo-se à velha ama, disse: "Pareces cansada, vai deitar-te."

A mulher acatou imediatamente a ordem de sua senhora e, escondendo um bocejo atrás da mão, pediu licença e desapareceu de nossa vista.

"Ó homem tolo!", disse a princesa, fitando-me pela primeira vez desde que entrara, "o que viste de mal em nosso Grande Ídolo para ires buscar refúgio nos poderes de um Deus invisível?"

"Ó adorável princesa de Sarandip", respondi, "por favor, sê benevolente e reflete sobre o que vou dizer. Aquele que de um coágulo fez surgir uma criatura tão bela como tu, dotando-te de mente e coração, certamente não pode ser não-existente! Que coisa fria e inerte é um ídolo de pedra para que alguém nele possa acreditar. Não foi criado senão como uma pedra por Deus; como poderia dar vida como Ele o faz?"

Então, pedi à minha princesa que repetisse a profissão da fé islâmica comigo. A princípio, ela o fez com hesitação, depois com mais e mais paixão, até aderir à prece com todo o coração. Lancei-me a seus pés e agradeci a Deus, por tê-la tornado uma verdadeira crente.

Ao amanhecer, ela havia jogado fora seu arco e flecha, e era inteiramente minha.

"Sinto-me ansiosa e confusa", disse-me, "pois, ao meio-dia de amanhã, deverei casar-me. Meu noivo é um adorador de ídolos. Agora que me foi revelada a verdadeira fé, como poderei unir-me a um infiel, gerar filhos e criá-los como idólatras?"

"Não posso permitir que te submetas a uma sorte que não desejas e que só trará malefícios", disse-lhe com seriedade. "Preciso fazer os arranjos necessários para livrar-te desta terrível situação. Partirei agora mesmo e ficarei no caravançarai dos muçulmanos. Breve estarei partindo para a próxima etapa de minha jornada, e tu virás comigo. Deves ir à cerimônia de amanhã. Não tenhas medo, virei ver-te ou enviar-te-ei uma mensagem quando chegar a hora. Com a ajuda de Deus, tudo dará certo."

"Mandarei minha ama a ti, e assim ficarás a par de meus movimentos", disse ela. "Quando enviares uma carta dizendo que tudo está acertado, darei à minha ama uma poção que a fará dormir e irei a teu encontro."

Despedimo-nos, e prossegui com os arranjos necessários à viagem. Durante o tempo que estive separado de minha princesa, o que me pareceu ser uma eternidade, vivi apenas da esperança de estar novamente junto dela.

Encontrei mercadores de diversos países — Rum, Síria, Damasco e Isfahan — e juntos fretamos um navio que nos levasse a nossos respectivos destinos, ou o mais próximo que fosse possível viajando-se por mar.

"Preciso apenas de uma pequena cabine", disse ao comandante, "pois levarei comigo este cão, um baú e uma escrava. Eis o dinheiro de minha passagem."

Prontos quase todos os preparativos, minha mente ficou um pouco mais tranquila, embora ainda estivesse muito nervoso quanto à última parte de meu plano.

Fui ao encontro da ama para despedir-me; dei-lhe uma bolsa de moedas de prata e disse que estava voltando para casa: “Se puderes ajudar-me a ver a princesa, ao menos por um instante, gostaria muito de agradecê-la uma última vez por ter salvo minha vida e dizer-lhe adeus”.

“Se voltares ao jardim esta noite, verei se consigo levá-la para encontrar-se contigo”, assentiu a ama.

Voltei ao caravançarai e contratei um jovem criado para levar meu baú e preparar minhas acomodações na cabine do navio.

“Amanhã trarei minha escrava a bordo”, disse eu ao comandante, “e também meu cão.”

“Excelente!”, disse ele. “Mas não esqueças que zarparemos muito cedo, com a primeira maré do dia.”

“Não te preocupes, pois não me atrasarei para a partida”, respondi, sentindo meu coração bater dentro do peito como um rouxinol preso numa gaiola.

Quando as sombras caíram, eu estava no lugar combinado e a princesa logo veio a mim, vestida com roupas comuns e trazendo suas joias dentro de um cesto envolto num xale de pano ordinário. Entregou-me o embrulho para que o guardasse e tomamos um bote até o navio. Meu fiel cão estava conosco, tão próximo quanto nossas sombras.

Zarpamos com a primeira maré do dia. Porém, antes mesmo que terminássemos de içar as velas, ouvimos um disparo de canhão — uma advertência para que retornássemos ao porto. Temendo por nossa sorte, olhávamos um para outro sem saber o que fazer. A princesa, muito nervosa, enrolou-se no tosco tecido de seu véu, como se um simples pano fosse capaz de protegê-la.

O navio foi atracado, e todos a bordo estavam preocupados com o motivo de termos sido obrigados a voltar sob tiros de canhão. Os mercadores possuíam escravas muito belas, adquiridas no Ceilão, e temiam que o governador as confiscasse, como era seu costume, mal lhes dando em troca o que haviam pago por elas. Assim, trancaram-nas em baús com frestas nas tampas, pois não queriam perder sua bela carga humana. Como os outros mercadores, coloquei minha amada e delicada princesa em meu baú, esperando que pudesse respirar pelas aberturas laterais. Enquanto isso, um bote aproximava-se velozmente; dentro dele, o governador e seus oficiais acenavam, avisando que viriam a bordo.

Imaginei que alguém havia denunciado a fuga da princesa, e que, por essa razão, o governador queria revistar pessoalmente todos os barcos que saíam do porto. Todavia, consegui manter uma aparência tranquila, na esperança de que, não demonstrando medo algum, tudo corresse bem. Não contava, entretanto, com a astúcia do governador, que logo nos fez abrir todos os baús. Para meu desespero, a princesa foi capturada e levada junto com as escravas de meus companheiros de viagem. Horas depois, algumas das jovens foram devolvidas, mas a princesa não estava entre elas.

"O que terá acontecido com minha escrava? Por que não me foi devolvida?", perguntei angustiado aos mercadores.

"Talvez tenha caído nas graças do rei", disse-me um deles.

Eu estava quase louco de ansiedade e aflição. Como poderia descobrir a verdade? Parecia-me completamente impossível encontrá-la!

Os mercadores procuravam encorajar-me, dizendo: "Não te preocupes! Sempre poderás comprar outra escrava no próximo mercado que visitarmos. Isto não é o fim do mundo!". Mas, para mim, era exatamente isso.

"Não posso seguir viagem para a Pérsia", disse-lhes. "Deixai-me aqui e segui vosso caminho."

Eles concordaram, e eu e meu cão descemos ao bote. Levava comigo as joias da princesa, e nunca as deixava longe de minha vista, pois, para mim, seu valor estava além de qualquer preço.

Andei sem rumo por toda parte, sem encontrar vestígio algum de minha amada e, por força de não comer nem beber, definhei até tornar-me a sombra da pessoa que fora. Se minha amada me visse naquele estado, mesmo sob a brilhante luz do meio-dia, não creio que me reconhecesse, tão magro e enrugado fiquei.

Um dia, pensando que seria melhor procurá-la na casa do governador, lá entrei pelo esgoto subterrâneo. Era terrível respirar aquele ar viciado na podridão, mas meu amor e meu desespero impeliam-me. Respirei fundo e arrastei-me pelos fétidos canais. Finalmente cheguei ao harém; cobri-me com um manto de mulher e dei início à minha busca. Fui de um aposento a outro, até que finalmente escutei o som de um choro. Sentada num sofá, chorando suavemente, lá estava minha princesa! Atirei-me a seus pés, e nos abraçamos como se nunca mais fôssemos nos separar.

Perguntei-lhe o que havia acontecido, e ela contou-me que, assim que, ao vê-la sem véu, o governador ficara completamente apaixonado; enviou todas as outras moças ao rei, que mais tarde as devolveu aos mercadores. O governador não fazia a menor ideia de que ela era a princesa de Sarandip, e a tomou para si, encerrando-a no harém. Desde então, ela não tivera nenhuma oportunidade de enviar-me uma mensagem.

"Quando meu pai, o rei, não me viu entre aquelas escravas, mandou-as de volta a seus legítimos donos e continuou a procurar-me por toda parte. Para encobrir meu desaparecimento, disse à corte que sua filha estava muito doente, à beira da morte. Assim, se eu não aparecer, breve será anunciado em público meu falecimento. Dessa forma ninguém ficará sabendo da vergonha do rei.

"Estou muito aflita com o assédio do governador. Consegui até agora manter-me longe de seu leito alegando dores e febre, mas quanto tempo mais poderei mantê-lo a distância? Estava a ponto de pensar em suicídio, mas tua chegada devolveu-me a esperança. Agora, tenho um plano que, com a ajuda de Deus, poderá funcionar."

"Fala", sussurrei, "pode ser que haja um meio."

"Vai ao templo do Grande Ídolo", disse ela apressadamente, "e procura um pano preto que jaz no pedestal. Senta-te aos pés do

Grande Ídolo e cobre-te com este pano. Quando se está passando necessidades, é assim que se faz para receber esmolas dos adoradores. Quando três dias se passarem, os sacerdotes virão expulsar-te, como é o costume. Recusa-te a sair, diz que estás buscando justiça e que sabes que o Grande Ídolo irá concedê-la."

"E então?", perguntei, intrigado.

"Pede para ser recebido perante a Mãe dos Brahmas; ela tem bem mais de duzentos anos de idade, e gerou trinta e seis filhos no templo, frutos de sua intimidade com os sacerdotes. Acredita-se que seja muito respeitada pelo Grande Ídolo. Quando ela aparecer, segura a barra de sua túnica e diz que, se não for reparada a injustiça que te foi infligida, esmagarás teu cérebro no pátio defronte ao Grande Ídolo, para assim despertar a piedade dele para contigo.

"Quando, depois disso, ela pedir detalhes sobre teu caso, repete exatamente estas palavras: 'Ó Grande Mãe!, venho das terras da Pérsia para cumprir a peregrinação ao Grande Ídolo. Por algum tempo, aqui vivi em paz, junto de minha esposa. Ela é bela e jovem, e cheia de encantos. Entre nós, muçulmanos, a lei ordena que, se alguém toma uma de nossas esposas, deverá ser executado. Porém, se a esposa for devolvida, tudo será perdoado. Pois bem, o governador raptou minha amada esposa, e venho a ti em busca de reparação'."

Discutimos passo a passo nosso plano. Quando todos os detalhes estavam acertados, despedi-me com relutância da princesa e voltei pelos mesmos subterrâneos.

Ao amanhecer, fui ao templo do Grande Ídolo e, enrolando-me no pano preto que ali estava, sentei-me para mendigar. Por três dias e três noites, durante os quais não comi nem bebi, diversas moedas de ouro foram depositadas em minha cuia pelos generosos adoradores do ídolo. No quarto dia, os sacerdotes, cumprindo suas obrigações habituais, pediram que me retirasse. Recusei, dizendo que não sairia dali enquanto não fosse recebido pela Mãe dos Brahmas e obtivesse justiça. Como eu parecia irredutível, eles foram à velha mulher e contaram-lhe sobre mim. Logo, um brahmane veio e disse que devia apresentar-me à Grande Mãe. Envolto no pano preto, arrastei-me pelos corredores até chegar a seus aposentos. O Grande Ídolo estava colocado no alto de um trono, onde cintilavam diamantes, rubis, pérolas e corais. A seu lado, numa cadeira coberta por uma capa, que mais parecia um trono, entre travesseiros de plumas e almofadas de veludo, sentava-se a matriarca. À sua direita e à sua esquerda, dúzias de pequenos meninos, sentados e em pé, formavam filas concêntricas. Era uma senhora muito pálida, cuja pele parecia um pergaminho, seu cabelo era negro como carvão, e vestia-se de preto da cabeça aos pés, sem nenhuma joia ou adorno sobre as vestes.

Contei minha história do começo ao fim, tão bem quanto pude, tal como a princesa me havia dito para fazer.

"Tua religião tem méritos e a Lei é justa", admitiu ela, assentindo lentamente com a cabeça, como uma velha tartaruga. "Mandarei trazer o governador até aqui imediatamente, e tua esposa te será devolvida. Todos tremerão ante o castigo que vou impor a este usurpador, verás! Sim, na verdade será um exemplo a todo aquele que ousar cometer ato tão vil."

Depois, dirigindo-se a uma das crianças sagradas, a mais próxima a seu lado direito, disse: "Vai ao rei e dize-lhe que o governador raptou a esposa de um peregrino do Grande Ídolo, que deve imediatamente ser devolvida, caso contrário a divindade ficará profundamente irada. Ninguém é capaz de imaginar os danos que seu desagrado poderá causar se essa injustiça não for logo reparada: que males poderão abater-se sobre o povo e o país por determinação do Grande Ídolo?"

O menino levantou-se e partiu, enquanto os sacerdotes sopravam ocarinas de concha e agitavam centenas de minúsculas bandeirolas, fazendo-as ondular.

A criança sagrada foi ao palácio real e o soberano, com os pés descalços, veio atendê-la pessoalmente, antes mesmo de saber o que o mensageiro divino queria consigo, um mero administrador daqueles domínios, pois a palavra da Grande Mãe era muitas vezes superior a tudo o que ele próprio pudesse decretar.

A criança repetiu sua mensagem, e o rei, aterrorizado ante a ira do Grande Ídolo, ordenou que alguns oficiais fossem imediatamente enviados para prender o infrator.

"Investigarei este crime", disse à criança sagrada, "e providenciarei para que seja adequadamente punido."

"Transmitirei tua mensagem", disse o menino. "Que as instruções da Mãe dos Brahmas não sejam desobedecidas!"

Todos os nobres presentes começaram, então, a conversar entre si, como é comum nas cortes, e chegaram ao consenso de que esse governador era realmente um homem vil, corrupto e indigno, e além de tudo extremamente mesquinho; e que tudo o que a Mãe dos Brahmas dissera era a mais pura verdade; e que ele merecia ser aniquilado. A sentença já havia sido decidida e todos a repetiam como num coro ensaiado.

Depois de receber uma bandeja coberta de pedras preciosas, joias e pepitas de ouro, o menino do templo partiu, e somente então o rei pôde mandar buscar seus sapatos e sua coroa. Em seguida, ordenou que me fosse enviado um manto de honra, juntamente com uma carta, de próprio punho, nomeando-me governador da fortaleza do porto em lugar do malfeitor. O decreto real estabelecia ainda que todas as posses e terras do governador destituído fossem confiscadas e transferidas a mim, e mesmo sua vida agora me pertencia para dela dispor como quisesse.

Quando voltei ao templo do Grande Ídolo, a Mãe dos Brahmas leu o decreto e ficou satisfeita; ordenou que uma guarda de quinhentos homens armados fosse ao porto prender o governador e o entregasse a mim, para que eu mesmo o executasse. Também me seria permitido submetê-lo a qualquer tortura que desejasse, até que ele implorasse alívio na morte — tão bárbaro e terrível era o decreto real.

Após dar essas ordens, ela presenteou-me com uma coleção de trajes rituais do templo do Grande Ídolo, e deu permissão para que me retirasse. Senti um grande alívio ao partir, pois aquela audiência deixara-me de tal modo tenso que minhas roupas estavam molhadas de suor.

Quando cheguei ao porto, o infame governador foi trazido à minha presença. Com os olhos vermelhos de pura ira, puxei minha espada e, de um só golpe, cortei a cabeça do vilão.

Logo após ser empossado no cargo, fui ao harém e resgatei minha amada princesa, e juntos agradecemos a Deus por Sua bondade. Como prova de meu reconhecimento, promovi oficiais e escravos a postos superiores, recompensando os oficiais, inclusive os recém-nomeados, com generosas bolsas de ouro. Distribuí ainda muitas moedas de ouro e de prata aos soldados e guardas de minha escolta, e todos aclamaram-me seu novo comandante. Depois, reuni grande número de xales de seda, pedras preciosas e outros objetos raros e, em sinal de gratidão e respeito, depositei-os aos pés da venerável Mãe dos Brahmas.

Como governador, passei a frequentar a corte e, sempre que tinha oportunidade de encontrar o rei, fazia todo o possível para causar boa impressão: distribuía tantos presentes a seus servos e escravos que todos me consideravam o homem mais generoso do mundo, e, sem dúvida, pensavam que eu possuía os tesouros de Midas.

Para abreviar uma longa história, sentia-me satisfeito em minha nova posição, e parecia que todos me amavam e louvavam minha administração. Uma ou duas vezes por mês, eu ia ao palácio e, em várias ocasiões, fui agraciado pelo rei com títulos e condecorações de maior ou menor importância. Com a permissão de seu pai, o rei de Sarandip, casei-me com a princesa e passei a ser o homem mais feliz do mundo; jamais me entregava ao sono sem antes abençoar meu destino.

Até que um dia, dois escravos esfarrapados, vestindo os andrajos mais vis, com os pés descalços e feridos, trouxeram alguns caixotes com mercadorias para o armazém do porto. Para minha vergonha, reconheci meus dois irmãos, mais uma vez degradados ao nível de animais. O orgulho e o nome de minha família não me permitia deixar que continuassem naquele estado, então uma vez mais dei-lhes roupas novas, casa e dinheiro. Porém estas criaturas desnaturadas novamente tramaram para roubar-me o tempo que me restava de vida. Certa noite, tentaram apunhalar-me durante o sono. Mas ao puxarem as lâminas das bainhas, mais uma vez fui salvo pelo fiel cão que dormia junto de minha cama; graças aos seus latidos, os guardas entraram em meus aposentos e os desarmaram.

Todo o povo passou a exigir que fossem executados por terem tentado privar-me da vida de forma tão covarde, quando tudo o que possuíam, todos o sabiam, mesmo as adagas que usaram para atacar-me, era meu.

Enfim, temendo por minha vida, decidi confiná-los, pois percebi que, a despeito das oportunidades que recebessem, seu sangue era ruim e, infelizmente, isto sempre se manifestará, seja qual for a condição. Em liberdade, só teriam criado mais problemas. Por isso foram aprisionados nestas gaiolas, onde permanecem até hoje. E, embora mais de uma vez tenham implorado que lhes concedesse a morte, não posso manchar minhas mãos com meu próprio sangue; caso o fizesse, não seria capaz de dormir novamente, sequer por um instante, pelo resto de minha vida.

"Ó grande rei Azad Bakht! Como podes, então, condenar-me por preferir a companhia deste leal e valente cão à de meus traiçoeiros irmãos? Esta é a verdadeira história de minha vida e nada mais posso acrescentar. Minha mulher confirmará tudo o que disse, ainda que seja interrogada sob tortura, pois esta é a mais pura verdade."

"Agora que contaste tua história, compreendo a dívida que acreditas ter com este cão", disse-lhe o rei. "Mas ainda não explicaste a razão de adornar seu pescoço com os mais preciosos rubis."

Pois bem. Passados três ou quatro anos, eu ainda permanecia no cargo de governador e de conselheiro do rei.

Um dia, olhando por minha luneta, avistei duas figuras, um homem e uma mulher, cambaleando pela encosta da colina, vindos do bosque. Ordenei que a mulher fosse conduzida ao harém para que se banhasse e descansasse, e chamei o homem à minha presença. Ele era bastante jovem, por volta de vinte e quatro anos; a cor de seu rosto se tornara tão escura quanto a enegrecida chapa de ferro fundido onde assamos o pão. Carregava em seus ombros uma criança de mais ou menos quatro anos, um menino de grande beleza, com sobrancelhas que se uniam como o arco do caçador. O jovem vestia-se de uma maneira muito estranha, fiquei curioso e quis saber sua origem.

"Ó homem, de que região vens e por que estás tão castigado pelo tempo?", perguntei.

"Pão, pão!", ele gritou. "Estou faminto e não me resta sequer uma centelha de força para falar antes de comer."

Ordenei que lhe trouxessem comida, que ele devorou como um lobo faminto, engolindo sofregamente, como se há muitos dias não se alimentasse. Enquanto o estrangeiro fazia sua refeição, um escravo do harém trouxe várias bolsas que haviam sido encontradas com sua esposa; estavam abarrotadas, quase até estourarem, de joias preciosas e raros objetos de ouro. Cada peça mostrava-se mais valiosa que aquela que se acabara de examinar.

Quando o jovem acabou de comer, de beber e de alimentar a criança, o que fez ternamente com bocados de seus próprios lábios, perguntei onde obtivera aquele tesouro.

"Venho do Azerbaijão, minha querida terra natal", respondeu, transparecendo muita tristeza. "Passei muitas privações desde que me separei, em tenra idade, de meus pais; e desde então, ao menos até agora, tenho sempre conseguido deslizar por entre as garras do Anjo da Morte."

"Meu jovem", disse-lhe, "por favor, conta-me tudo, desde o início, sem omitir detalhe algum."

E ele começou a contar sua história:

Quando eu tinha dez anos de idade, meu pai, um mercador que percorria o Hindustão, Rum, China e as terras da Europa, levou-me consigo numa viagem. Minha pobre mãe, temerosa por eu ser ainda uma criança, tentou dissuadi-lo, mas ele não quis escutar, dizendo que quanto antes saísse de debaixo das suas saias, mais cedo seria capaz de viver minha própria vida.

"Estou envelhecendo", disse ele, "não me resta muito tempo para instruí-lo no modo de ser dos homens; assim, o que pode ser melhor do que levá-lo comigo nesta jornada?"

Partimos, a despeito das lágrimas de minha mãe, avó e algumas tias, que nutriam em seus corações grande afeto por mim. Quando chegamos ao Hindustão, vendemos nossas mercadorias com bom lucro e meu pai ficou bastante satisfeito. Compramos alguns objetos raros e preciosos e alguns animais esculpidos em lápis-lazúli, e partimos para a região de Zerbad. Também ali tivemos grande êxito, e meu pai comprou-me alguns brinquedos muito caros.

Quando já estávamos a bordo do navio para retornar a nosso próprio país, subitamente fomos envolvidos por uma tempestade de relâmpagos e trovões de tremenda violência. Um terrível vendaval rasgou as velas do navio, reduzindo-as a farrapos; a chuva caía como se fosse um segundo Dilúvio, e o timão do barco partiu-se em frágeis gravetos de lenha. Durante dez dias, o barco foi arrastado como cortiça sobre o oceano. O capitão estava impotente ante aquela situação, e seu imediato, em desespero, arrancava os próprios cabelos. De repente, o navio estremeceu e foi arremessado pelos vagalhões de encontro aos implacáveis rochedos. Não sei o que aconteceu com meu pai, nossos servos e bens. Quando despertei, estava abraçado a um pedaço de madeira, boiando como mais um destroço do naufrágio na imensa superfície do mar. Por vários dias, permaneci agarrado àquela tábua, como um molusco, ciente de que se a soltasse, seria tragado pelas insondáveis profundezas.

Finalmente, eu e minha tábua alcançamos costas estrangeiras. Chegando à praia, completamente exausto, consegui levantar-me e dar alguns passos, mas meus joelhos dobraram sob meu peso. Somente algum tempo depois pude erguer-me novamente e olhar à minha volta. Nos campos vizinhos, gente trabalhava na colheita de alguma espécie de grão. Porém, não pude fazer-me entender e também não fui capaz de compreender o que diziam. Recolhi do chão um punhado de grãos e tostei os numa fogueira acesa pelos camponeses, que me deram ainda algo para beber. Após saciar minha fome e minha sede, deitei-me no campo e adormeci.

Quando acordei, um dos camponeses deu-me um embornal com algumas provisões, e parti estrada afora, sem saber aonde ia, certo apenas de que deveria continuar. Após quatro dias de caminhada, quando já não me restava nada para comer, quase no limite de minhas forças, alcancei a enorme muralha de uma cidade. Deparei com um grande portão aberto e atravessei-o.

Dentro dos muros da cidade, havia grande alvoroço e movimento. Dirigi-me a um homem na rua e pedi-lhe trabalho. Ele percebeu que eu estava desmaiando de fome e levou-me à sua casa e serviu-me uma farta refeição. Já alimentado e aquecido, tentava imaginar que tipo de trabalho me seria oferecido por aquele homem que se vestia como um europeu. Eu logo iria descobrir.

Ele pediu que lhe contasse minha história, e assim o fiz. Quando concluí minha narração, ele entregou-me uma pá, uma peneira e uma bolsa de couro; conduziu-me a uma pequena colina de terra negra e mandou-me cavar.

"Toda a terra que retirares, deves passar pela peneira", disse-me, "e o que encontrares, deposita dentro desta bolsa."

Agradeci e entreguei-me ao trabalho. Fiz como me havia sido ordenado, e vi que o que restava, depois de peneirada a terra preta, eram pedras preciosas de todos os tipos. Meus olhos maravilharam-se com sua beleza, deviam valer várias vezes o resgate de um rei. Enchi a bolsa até a boca e levei-a ao meu empregador.

"Tudo o que recolheste é teu", disse-me, para minha grande surpresa. "Pega este tesouro e toma teu caminho, deves partir imediatamente; não te fará bem algum permanecer neste lugar."

"Meu senhor", balbuciei, "estás realmente me dando todas estas joias? Por quê? Que estranha razão há por trás disso? Além do mais, não desejo partir, e estas joias não têm utilidade para mim, pois, se não tiver o que comer, não me servirão de alimento, não é certo?"

"Ah, pobre rapaz, és realmente digno de pena!", disse ele. "Vejo por tua pronúncia que, como eu, vens da Pérsia, e estás perdido nesta terra. Se, no entanto, estás determinado a permanecer nesta cidade, toma meu anel e vai ao centro do mercado. Lá encontrarás sentado meu irmão mais velho; entrega-lhe este anel e ele tomará conta de ti. Presta muita atenção ao que meu sábio e idoso irmão disser, pois se não o escutares, certamente perderás tua vida. Crê em mim, pois sei o que digo."

Agradeci sinceramente ao homem e segui na direção que me havia indicado. Logo avistei o homem que me havia sido descrito, sentado numa cadeira, com um bastão incrustado de pedras preciosas, símbolo de sua autoridade, pousado sobre a mesa à sua frente. Aproximei-me respeitosamente e mostrei-lhe o anel. Assim que o viu, ele ficou irritado, e disse asperamente: "Meu irmão não te avisou que devias partir deste lugar?"

"Sim", respondi, "mas não lhe dei ouvidos. Há sempre conselheiros nessa vida, mas o destino de todos eles é ser ignorado pelos tolos!"

Com o semblante severo, o homem do bastão aquiesceu e pediu que lhe contasse minha história. Uma vez mais repeti minha narração, do começo ao fim, sem omitir detalhe algum. Então, ele se levantou e levou-me à sua casa. Um servo seguia atrás dele, carregando o bastão de honra.

Pude ver pela casa que se tratava de uma pessoa de posição e riqueza, pois era um verdadeiro palácio, circundado por belos jardins. Adentramos o aposento mais íntimo da casa, e ele me disse: "É loucura teres vindo a esta cidade. Não sei como poderás sair vivo daqui; virtualmente, cavaste tua própria sepultura".

"Já contei a história de minha vida", disse-lhe, "e uma vez que o destino trouxe-me até aqui, deve haver, necessariamente, um motivo. Por favor, dize-me por que razão minha vida corre perigo?"

"Existe aqui um costume: todos os que chegam à cidade são levados perante um ídolo, em cujo ventre vive um demônio que fala ao rei acerca de cada visitante. O rei, por sua vez, obriga todo estrangeiro a prostrar-se diante do ídolo, não importa qual seja seu credo ou nacionalidade. Se ele prostrar-se ante o ídolo, tudo estará bem. Porém, se por alguma razão, recusar-se a fazê-lo, porque isso o repugna ou ofende sua fé, o pobre homem será atirado no rio que corta a cidade. Se, de alguma forma, ele consegue sobreviver, suas partes íntimas, por alguma razão misteriosa, tornam-se terrivelmente longas. Este é um encantamento que recai há muito tempo sobre esta cidade. Tenho pena de ti, por tua juventude e bela aparência; mas talvez ainda consigas livrar-te desta situação, ao menos por alguns dias."

"De que modo poderei ser salvo?", perguntei, começando a sentir-me realmente preocupado e inseguro.

"Casando-te com a filha do vizir", ele respondeu.

"Isto é impossível!", protestei. "O vizir de uma cidade como esta jamais daria sua filha em casamento a alguém tão sem posses e desafortunado como eu. Além de tudo, seria necessário abraçar suas crenças, e isso nunca farei."

"Não!, não é tão impossível nem tão grave quanto te parece", disse ele. "O costume da cidade reza que se um homem, não importa quem seja, prostrar-se ante o ídolo e pedir a mão da filha do vizir em casamento, ele estará obrigado a cedê-la.

"Não deveria ser eu a dizê-lo", continuou, "mas sou muito íntimo do rei, e por ele bastante respeitado. Pois bem, toda semana há uma espécie de visita ritual ao templo onde está o ídolo, ocasião em que todos os oficiais e nobres se apresentam, de acordo com sua posição hierárquica. Também eu deverei comparecer, e tu serás meu convidado."

Por ora, nossa conversa havia chegado ao fim; ele deu-me permissão para comer e apontou-me uma mesa repleta dos mais variados tipos de alimento, desculpou-se e saiu. Naquela noite, fui deitar-me com um pouco de meu antigo ânimo.

Pela manhã, fomos ao templo. Lá, vi centenas de pessoas movendo-se lentamente em círculos de um lado para outro, inclinando-se e ajoelhando-se perante o ídolo. O rei e os nobres, suntuosamente vestidos, postavam-se na primeira fila; atrás deles, ficavam as jovens e os rapazes solteiros, e lindas crianças de todas as idades e tamanhos prosternavam-se em gestos rituais.

O velho homem sussurou-me: "Agora faz exatamente tudo o que te digo: beija as mãos e os pés do rei, e depois segura a barra do manto do vizir".

Eu prontamente o obedeci.

"Quem é este homem e o que quer?", perguntou o rei.

"É um amigo meu", respondeu o velho. "Veio de um país distante e viajou muitos dias para ter a grande honra de render homenagem a Vossa Majestade, na esperança de que, com a permissão do Grande Ídolo, o vizir o aceite no serviço da Corte do Pavão do Mundo."

"Se ele abraçar a nossa fé", disse o rei, "isso lhe será muito propício."

Os servos puseram uma linda capa bordada sobre meus ombros e uma corda em volta de meu pescoço, e fui arrastado à presença do ídolo. Enquanto estava ali prostrado, uma voz, como que do outro mundo, soou do estômago do ídolo, fazendo-me estremecer.

"Ó jovem de terras distantes", disse-me, "fizeste bem em buscar meu serviço. Confia em minha misericórdia e meu perdão."

Sem saber o que estava acontecendo, fui agarrado e arrastado pelos pés. Todos a meu redor pareciam em transe; seus gemidos e lamentações faziam lembrar o som do mar sendo chicoteado por um forte vento, alguns rolavam pelo chão, espumando pela boca, e todos gritavam a uma só voz: "Assim seja! Assim seja! Que possas viver muitos anos, ó jovem de terras distantes!"

Em seguida, apontaram-me a filha do vizir, que caminhava graciosamente pelo jardim. Assim que a vi, fui imediatamente invadido por um forte desejo de possuí-la; mal podia esperar pelo casamento, tão grande era meu anseio.

Em três dias, tornei-me marido daquela encantadora criatura. Da cabeça aos pés, ela era a imagem da perfeição, e estava tao apaixonada por mim quanto eu por ela. Vivíamos juntos, mergulhados no prazer, desfrutando de nossos corpos sempre que possível. Porém, pobre de mim, por minha perfeita vida de casado!, passados dois anos, ela morreu de parto, deixando-me inconsolável.

Sob o impacto da trágica perda, eu vagava sem rumo pelas ruas da cidade, imerso na mais profunda tristeza, quando alguém tocou meu ombro. Voltei-me e reconheci o homem do bastão, o velho persa que arranjara meu casamento.

"Por que choras?", perguntou-me serenamente.

"Não sabes que acabei de perder minha esposa da forma mais cruel?", respondi. "Há poucas horas, ela morreu de parto e levou consigo o bebê."

"Irás precisar de toda a tua coragem", disse ele, "pois outro terrível costume desta cidade está prestes a se cumprir."

Ele mal acabara de dizer isto, quando fui agarrado pelo povo e carregado, juntamente com o corpo de minha esposa, até o templo. Ali, todas as nossas posses foram reunidas e vendidas, e o dinheiro arrecadado foi gasto na compra de pedras preciosas. Então, encheram um baú com pão, doces, frutas frescas e passas; depois colocaram o corpo sem vida de minha esposa em outro baú, e ambos foram colocados no lombo de um camelo. Fizeram-me montar o animal, e a caixa com as pedras preciosas foi depositada sobre meu colo.

Todos os sacerdotes seguiam à minha frente, cantando e soprando grandes chifres, e uma imensa multidão seguia atrás, num estranho cortejo. Dessa forma, fui conduzido para fora da cidade. O primeiro homem que encontrara, o persa que me havia avisado para partir, caminhava a meu lado, olhando-me com piedade.

"Não me deste ouvidos, nem a meu irmão", recordou-me. "Agora deves pagar por tua permanência na cidade."

Fui conduzido a uma fortaleza e lá encerrado com os dois baús.

"O homem nasceu e deve morrer", disse-me um dos sacerdotes do templo. "Neste baú tens alimento para quarenta dias. Deves permanecer aqui e esperar que o Grande Ídolo se manifeste favoravelmente para contigo".

Eu estava pronto a responder que o Grande Ídolo e seus sacerdotes, e tudo mais que se relacionasse a ambos, podiam ir para o inferno. Mas o homem da Pérsia, que me acompanhara até lá, sussurrou-me: "Cuidado, guarda silêncio, ou eles te assarão como a um carneiro no espeto. Confia agora na misericórdia de Deus; Ele te salvará quando chegar o momento".

A porta da fortaleza foi fechada com grande estrondo, e ali fiquei aprisionado, na mais absoluta solidão.

Transcorridos os quarentas dias, nada mais me restava para comer. Foi quando um velho muito doente foi trazido para a fortaleza, com sua falecida esposa e o baú de mantimentos. Confesso que esperei que o velho morresse, o que para minha sorte não demorou a acontecer, e graças a isto vivi outro mês às custas de suas provisões. Dessa forma, sem escrúpulo algum ante a desventura dos outros, sobrevivi por muito mais tempo do que seria possível.

Outro mês se passou e a fome, mais uma vez, tornara-se insuportável. Eu estava no limite de minha sanidade, quando uma linda jovem foi trazida à prisão com o cadáver do marido e outro baú de provisões. Ao ver-me espreitando como um lobo faminto, de medo, ela desmaiou. No entanto, não tive coragem de roubar-lhe as provisões. Graças a Deus, era uma jovem tão bela quanto bondosa e, percebendo que eu definhava de fome, dividiu comigo seu alimento. Ela ficou grata por eu não tentar molestá-la e tornamo-nos amigos. Sempre que alguém morria, repartíamos a comida do parente enviado com o cadáver. Vivíamos, assim, como bárbaros, de nossa infâmia e da desgraça alheia.

Um dia, pedi que me contasse sua história, e ela começou sua narração:

"Sou a filha do primeiro ministro do rei. Por muitos anos estive prometida a meu primo, desde que éramos crianças. Quando atingi a idade apropriada, nos casamos, e eu antevia uma longa vida de felicidade. Porém, repentinamente, durante a noite de núpcias, meu jovem esposo adoeceu e morreu antes mesmo que eu conhecesse suas carícias. Então, fui enviada para cá, e eis tudo".

"Foste enviada por Deus para minha salvação", disse-lhe com fervor. Sabia que sem sua companhia a vida teria sido insuportável. Ela me fazia feliz, tanto quanto possível naquelas circunstâncias, apenas conversando comigo e prestando-me pequenos favores. Assim, tornamo-nos cada vez mais próximos. Durante muito tempo, instruí-a nos princípios da verdadeira religião, até que ela se converteu ao Islam e pediu que a tomasse como minha esposa. Eu mesmo celebrei a cerimônia de casamento. Quase três anos depois, tivemos uma linda criança. Dia e noite, ficava imaginando como poderíamos escapar da fortaleza e viver como pessoas livres.

Então, certa noite, um homem apareceu-me em sonho: "Há uma passagem para a fuga através do escoadouro", disse-me com voz de trovão. "Vai até lá e alarga-o; logo ganharás tua liberdade."

Assim que despertei, reuni todos os pregos e peças de metal que poderiam servir para uma escavação. Dia após dia, trabalhei na abertura do escoadouro até que ficasse suficientemente largo para que pudéssemos passar. Quando tudo estava pronto para a fuga, recolhi as mais belas pedras preciosas que encontrei e as coloquei em bolsas improvisadas, feitas com a manga das túnicas dos mortos, e fugimos para a luz do dia. Oferecemos fervorosas preces em agradecimento por nossa libertação; coloquei meu filho sobre os ombros e guiei minha esposa pela mão.

Já faz um mês que escapamos, e ainda não conseguimos acreditar que estamos livres daquele pesadelo. Desde então, temos sobrevivido de amoras e frutos silvestres, ou de grãos e folhas do campo. Não me restam forças para acrescentar nem mais uma palavra, por favor, permite que me retire para descansar.

Ó piedoso rei Azad Bakht! Senti muita pena daquele pobre homem; ordenei que fosse banhado com óleos perfumados e vestido com roupas da melhor qualidade; conferi-lhe honrarias e o fiz meu representante.

No entanto, sentia-me infeliz em meu próprio lar; tive vários filhos com minha princesa, mas o destino obrigou-me a sepultar um após o outro, sem que nunca descobrisse a causa desta mortalidade.

Aquele país tornara-se inóspito para mim, e resolvi voltar à Pérsia, pois temia morrer de tanta tristeza e melancolia. Pedi permissão ao rei para partir, e transferi o posto de governador do porto ao jovem cuja história acabei de contar. Como prova de sua amizade e gratidão, ele presenteou-me os magníficos rubis que adornam o pescoço de meu cão. Reuni todos os meus bens e vim para Nishapur, onde ninguém conhece minha história, ou a de meus irmãos. Agora sou conhecido como "o adorador de cães", e pago impostos em dobro ao tesouro da cidade para que me deixem em paz.

"Então este jovem mercador chegou a Nishapur, graças a ele, aqui estou e tenho a honra de beijar vossos pés", disse o velho homem, concluindo sua história.

"Este jovem não é teu filho?", perguntei surpreso.

"Não, ó renomado rei", respondeu-me. "É um súdito de Vossa Majestade. Quero torná-lo meu herdeiro para que, quando chegar a hora de minha morte, todos os meus bens passem às suas mãos."

Então, dirigindo-me ao jovem mercador, perguntei: "De quem és filho e onde vive teu pai?"

Para minha surpresa, o jovem beijou o chão diante de mim e disse: "Sou a filha do vizir de Vossa Majestade. Meu pai incorreu em vosso real desagrado por causa da história do colar de rubis usado por um cão na cidade de Nishapur. Assim disfarçada, fui àquela cidade com o intuito de limpar o nome de meu pai. Aqui estão o mercador, o cão e o colar de rubis; assim sendo, reivindico à Vossa Majestade a libertação de meu pobre e injustiçado pai".

Ante esta revelação, o velho mercador desfaleceu, e só voltou a si quando borrifaram água de rosas em seu rosto.

"Oh!, como fui capaz de encontrar um filho tão perfeito, que acreditava ter sido enviado por Deus, apenas para perdê-lo!", lamentou o velho. "Agora meu nome e minha linhagem desaparecerão, pois não tenho um filho que carregue minha progenitura."

"Não te aflijas", sussurrei a seu ouvido, tentando consolá-lo, "pois vou casar-te com ela. Ainda estás na plenitude da vida e, com uma esposa tão jovem e valente, poderás ter muitos filhos. Não desesperes! Deus irá dar-te uma família, se isso Lhe aprouver."

Ordenei que o vizir fosse libertado da prisão, pedi-lhe públicas desculpas e paguei-lhe uma completa indenização. Sua bela filha foi conduzida ao harém para que se preparasse para suas bodas. Todos ficaram encantados com o esplendor da cerimônia, e a filha do vizir ficou muito feliz em tomar como marido o altivo, distinto e grisalho mercador, que agora já não a olhava como pai.

Em poucos anos, esse casamento gerou dois filhos e uma filha, e tornou-se um caso de amor cantado por todo o reino. O filho mais velho é hoje vizir por seu próprio mérito, e o mais novo é o administrador de meu palácio.

"Ó dervixes, contei estas aventuras porque ontem à noite ouvi as histórias de dois de vós. Agora, considerai que ainda estais no túmulo dos mortos, que sou o vosso servo, e minha casa, vosso jazigo. Contai vossas histórias sem medo e aceitai minha hospitalidade, ao menos por alguns dias."

Os dervixes perceberam que o rei era generoso e sincero em seu afeto para com eles, e disseram: "Esperamos que aprecies ouvir nossas histórias; assim, contaremos tudo o que desejas saber. Permita Deus que possas colher algum benefício".

As aventuras do Terceiro Dervixe

O Terceiro Dervixe sentou-se e, cruzando as mãos sobre os joelhos, iniciou sua narração:

Nasci príncipe da Pérsia. Meu pai era um rei muito amado pelo povo, e eu, seu único filho. Quando jovem, gostava de jogar gamão e xadrez; porém, nada me dava mais prazer que a caça com falcões: sempre que podia, saía para caçar acompanhado de meus amigos.

Um dia, afastamo-nos muito do palácio e chegamos a um lindo vale. Árvores e arbustos floridos espalhavam-se tão longe quanto a vista podia alcançar, fontes e regatos brotavam das rochas e um tapete de relva verde-esmeralda brilhante cobria todo o lugar. Desmontamos e caminhamos levando nossos cavalos pelas rédeas, desfrutando o canto dos pássaros e o perfume das flores. De repente, todos nós, ao mesmo tempo, avistamos uma elegante corça negra: seu dorso estava coberto com uma mantilha do mais fino brocado; um colar cravejado de pedras preciosas pendia de seu pescoço, juntamente com um delicado sino de aço trabalhado com o mais puro ouro. Ela pastava sem medo a apenas alguns passos de nós, sem nunca levantar a cabeça. Subitamente, ela sobressaltou-se e olhou em nossa direção; por um breve instante pude ver seus belos olhos castanhos, os cílios longos como os de uma donzela de Shiraz; em seguida, afastou-se tão rapidamente que chegamos a duvidar da realidade daquela visão.

Fiquei encantado por aquela magnífica criatura, e desejei capturá-la viva. "Ficai aqui", sussurrei a meus amigos, "seguirei seu rastro. Não me acompanheis, pois irei capturá-la sozinho."

Saltei sobre meu cavalo e segui a corça negra, que agora deslizava pela planície, saltando para além de meu alcance, tão veloz quanto o vento. Eu não conseguia aproximar-me; por mais rápido que cavalgasse, a velocidade da corça era muito maior. O dorso de meu cavalo estava molhado de suor e sua boca salpicada de espuma, tão forte era nosso galope. Ainda assim, a corça mantinha-se distante, à nossa frente.

A noite estava chegando, e eu não sabia onde estava. No entanto, não pensava em retornar, tinha de vencer! Afinal, era apenas uma corça, dizia a mim mesmo.

Assim obcecado, e sem nenhuma chance de capturá-la viva, armei meu arco de caça e deixei a flecha voar. Atingi minha presa na coxa, e ela começou a mancar rumo ao sopé de uma montanha. Desmontei e segui-a a pé, sentindo toda a excitação da caçada. Mal dera alguns passos, avistei a cúpula de um palácio, e caminhei em sua direção. Aproximei-me e vi, na luz do crepúsculo, um belo jardim e uma fonte. A corça havia desaparecido. Eu estava sedento e empoeirado; lavei meu rosto na fonte e bebi de sua água fresca. Então, ouvi o som de um choro aflito e lamentoso.

"Ó criança!", dizia uma voz, "que a flecha de minha tristeza possa cravar-se no coração de quem a feriu. Se tu morreres, que Deus o cubra de infelicidade!"

Aproximando-me do palácio, olhei através da porta e vi um velho magro, pálido, de barba branca, tentando extrair minha flecha da coxa do animal ferido.

"Ó respeitável senhor!", disse eu, envergonhado e cabisbaixo. "Não sabia que era tua corça de estimação. Estou muito arrependido de tê-la alvejado. Foi o calor do momento, pois sou um grande caçador."

"Feriste uma criatura inofensiva que não te causou mal algum", disse ele com raiva. "Mas se cometeste este crime apenas por ignorância, possa Deus perdoar-te."

Sentei-me a seu lado e fiz tudo o que podia para ajudá-lo. Depois de arrancarmos a flecha com muita dificuldade, o velho passou um unguento calmante e cicatrizante na ferida. Feito o curativo, lavamos as mãos, e o ancião ofereceu-me uma tigela de alimento; comemos e bebemos juntos e, logo depois, deitei-me e adormeci.

No meio da noite, durante a qual sonhei sem cessar, acordei e olhei em volta do quarto. Estava completamente só, não havia sinal algum do velho de barbas brancas ou da meiga corça negra, ou de quem quer que fosse. Levantei-me e olhei por todos os aposentos da casa. Havia alguma coisa estranha naquele lugar, mas não sabia dizer o quê.

Num canto, vi uma cortina e, levado pela curiosidade, ergui-a para ver o que ocultava: havia um trono e, sobre ele, uma donzela tão linda quanto a lua em sua décima-quarta noite. Os cachos de seus cabelos, bastos e levemente ondulados, pretos como o azeviche, caíam ao lado de suas faces até cobrir-lhe inteiramente os ombros. Um sorriso iluminava seu delicado rosto, e sua cabeça pendia levemente para o lado de forma estranha. A seus pés, o homem de barbas brancas chorava amargamente.

Não fui capaz de compreender esta cena, e, ante a perfeição do rosto e das formas da linda donzela, perdi os sentidos e caí ao chão. O velho homem borrifou-me o rosto com água fresca, fazendo-me recobrar a consciência. Ajoelhei-me ante a angélica criatura e desejei-lhe a paz. Mas ela não respondeu, sequer demonstrou ter notado minha presença. Seus belos olhos estavam voltados em outra direção, fixando uma longínqua distância.

"Ó adorável ser angelical", balbuciei, "qual é tua fé, que não respondes a uma saudação de paz? Por que és assim tão orgulhosa?"

Conversei longo tempo desta forma, sozinho, meio brincando, meio seriamente, embora ela continuasse sem responder, permanecendo imóvel como uma estátua de alabastro. Toquei suavemente seus pés. Estavam completamente frios, como se esculpidos em pedra. Só então percebi que aquela adorável criatura era na verdade uma estátua; assombrado, recuei, sentindo uma estranha vertigem e um grande pesar.

"Feri tua corça com uma flecha, mas tu atiraste a seta do amor em meu coração, fazendo-a penetrar tão fundo que nunca poderá ser retirada. Dize-me, por que fizeste este ídolo, e por que, tendo abandonado o mundo dos homens, vives neste lugar desolado, tendo por única companhia uma estátua?"

"Ó filho meu", disse-me o velho, "que o Todo-Poderoso mantenha todos a salvo do fogo do amor que não se apaga jamais. Recordas a história de Majnun, o amante louco? O que poderás ganhar ouvindo minha história?"

Gentilmente, supliquei que me contasse sua história, acreditando que, depois de tanto tempo naquelas ermas paragens, falar com um companheiro humano poderia ajudar o pobre velho.

Meu nome é Niman Saiyah.[13] Há tempos, fui um grande mercador. Tendo viajado por todas as partes do mundo, faltava-me ainda conhecer a Ilha dos Francos. Então, na companhia de alguns amigos, decidi finalmente visitar aquele país. Lá chegando, ficamos todos maravilhados: por todos os lados viam-se construções magníficas, que certamente não poderiam ser igualadas às de lugar algum do mundo. O piso e os murais dos bazares e das ruas eram ornados com desenhos de grande graça e beleza, e havia água para todos nas fontes públicas. À noite, as ruas eram iluminadas e, ao redor da cidade, jardins encantadores floresciam com plantas raras e arbustos perfumados, em tão grande número quanto os que nos serão mostrados no Paraíso.

Quando chegamos, fomos recebidos por uma pequena comitiva que nos perguntou quem era nosso chefe. Fui apontado como

---

13. Em árabe, *niman* significa "excelente", "graça", e *saiyah*, "viajante", "peregrino"; *niman saiyah*, portanto, pode ser traduzido como "excelente viajante", ou ainda "peregrino da graça".

líder, e um administrador, dirigindo-se a mim, disse: "A princesa ouviu dizer que vieste de um país distante, e gostaria de examinar tuas mercadorias. Deves apresentar-te à corte, levando contigo o que consideres digno dos nobres da mais alta estirpe".

"Estou realmente muito cansado", disse-lhe, "e rogo que me permitas adiar para amanhã essa importante audiência. Assim, poderei repor minhas forças, e não estarei confuso ou incapacitado de dedicar à Vossa Alteza meu melhor atendimento."

No dia seguinte, reuni todos os mercadores a meu serviço e fomos ao palácio. Um guardião anunciou nossa chegada, e fui conduzido sozinho ao harém, levando comigo minhas melhores mercadorias.

Dentro do harém, vi-me envolvido por um cenário do reino das fadas. Para onde quer que olhasse, deparava com as mais belas mulheres, algumas com longas vestes, outras deixando entrever a nudez, todas parecendo fadas despojadas de suas asas.

Por fim, cheguei à real presença; minhas pernas tremiam enquanto expunha meus artigos ante a princesa. Donzelas de delicada aparência, dos mais diversos tipos de beleza, ficavam a seu redor, sozinhas e em pequenos grupos; seus gestos eram delicados, os braços pendendo elegantemente ao longo do corpo.

A princesa selecionou, entre as joias e as sedas, as peças de que mais gostara. Entregou-as ao chefe dos criados, dizendo que tudo me seria pago no dia seguinte.

Passei a noite revirando-me na cama; do escurecer aos primeiros raios de luz, fui assaltado pelos mais eróticos sonhos que jamais perturbaram o sono de um homem.

Pela manhã, assim que me vesti, fui visitar novamente a princesa. Fizeram-me esperar por longo tempo, pois havia chegado cedo demais para que ela me recebesse. Quando finalmente fui admitido à sua presença, a princesa ordenou que todos se retirassem, pois queria conversar comigo em particular.

"Serás bem pago", disse-me, numa voz límpida, "contanto que faças o que te vou pedir."

"Princesa", respondi, "minha vida e meus bens estão em tuas mãos, qualquer coisa que me possas pedir, eu o farei, mesmo que com o sacrifício de minha vida."

Ela ouviu atentamente minhas palavras, olhando fixamente em meus olhos para assegurar-se de minhas intenções. Depois, pediu pena, papel e tinta, e escreveu um bilhete; colocou-o numa pequena bolsa bordada com pérolas e envolveu-a num lenço de seda. Entregou-me o pequeno volume e também um dos anéis que estava usando, e disse-me: "Do outro lado da cidade, há um imenso jardim chamado Jardim do Coração Feliz. Lá encontrarás um homem chamado Kaikhusru, o guardião daquele lugar. Mostra a ele este anel e dá-lhe minha bênção; entrega-lhe este bilhete e espera uma resposta. Retorna o mais rápido que possas, e verás a recompensa que te darei por este insignificante serviço".

Em pouco tempo, cheguei ao local que a princesa me havia descrito. No portão do jardim, fui rendido por um homem armado e levado à presença de um outro, vestido com cota de malha e armadura de aço, com quinhentos arqueiros sob seu comando.

Dei-lhe minhas saudações e, mostrando o anel da princesa, contei-lhe minha incumbência. Ele suspirou e, erguendo os olhos ao céu, disse: "Sim, podes entregar a mensagem. Este soldado irá escoltar-te até o jardim. Lá encontrarás um homem confinado numa gaiola pendurada numa grande árvore; a ele deverás entregar a mensagem".

Embora confuso, continuei andando até chegar à árvore em que a gaiola estava suspensa. Pássaros gorjeavam nos ramos da árvore, e as fontes tornavam o lugar fresco e agradável. Em meio àquelas águas murmurantes, flores e botões perfumados, eu mal podia crer na cena grotesca que presenciava: um belo jovem barbaramente aprisionado numa jaula de ferro. Saudei-o e passei-lhe o bilhete através das grades de sua prisão. Ele abriu a carta e a leu avidamente, perguntando com ternura pela saúde da princesa. Assim que comecei a falar sobre a princesa, um exército de abissínios atacou-me por todos os lados. Nada pude fazer para me defender, não tinha sequer uma adaga em meu cinto. Recebi vários ferimentos e desfaleci. Quando recobrei os sentidos, percebi que estava sendo carregado nos ombros de alguém.

"Vamos lançar este corpo na planície", ouvi meus algozes dizerem, "os corvos e os abutres logo darão cabo dele."

"Em nome de Deus", gritei, "o que pretendeis fazer comigo? Ainda estou vivo e preciso da ajuda de um médico. Por que me tratam de forma tão cruel? Tudo o que fiz foi entregar uma mensagem ao prisioneiro."

"Aquele é o sobrinho do rei deste país", replicou um dos abissínios. "Outrora seu pai ocupava o trono. Quando estava à morte, o antigo rei pediu a seu irmão: 'Toma conta do reino até que meu filho tenha idade para governar, pois já não me demoro neste mundo. Quando chegar a idade certa, casa-o com tua filha e faz tudo a teu alcance para que sejam felizes juntos'. E, assim dizendo, o velho rei morreu.

"Imediatamente, o irmão mais novo coroou a si mesmo. Alegou que seu sobrinho ficara louco, e confinou-o naquela gaiola no jardim. A princesa é sua amada e sua amante, e, embora separados desta maneira cruel, ainda se amam: ela no palácio, ele na gaiola.

"Foste o mensageiro de uma carta de amor, mas espiões avisaram o perverso usurpador, e fomos enviados com ordens para matar-te. Agora, o déspota decidiu que, se quiser libertá-lo de sua miséria, a princesa deverá matar seu amado, o legítimo rei."

"Devo assistir a isto", disse-lhes, "ainda que tenha de morrer também."

Os dois soldados relutaram, mas terminei por convencê-los a deixar-me ir. Cheguei ao local dos acontecimentos e escondi-me num canto escuro para observar. O diabólico rei estava sentado em seu trono, e a princesa segurava em suas delicadas mãos uma espada com a lâmina já desembainhada. Ela avançou para matar seu amor, mas alcançando-o, largou a espada e atirou-se em seus braços, dizendo: "Usei este pretexto para poder ver-te, ainda que apenas por alguns segundos".

O rei começou a tremer de raiva e ordenou ao vizir que terminasse o que havia sido começado. A princesa, soluçando de forma inconsolável, foi levada à força para o harém. Com um golpe, o malvado vizir separou a cabeça do desafortunado príncipe de seus ombros. Então, antes que o sangue esfriasse em suas mãos, uma flecha vinda não se sabe de onde atravessou a fronte do executor, que tombou como um boi abatido no matadouro.

Mutilado, o jovem príncipe foi recolocado em sua jaula, e o falso rei retirou-se para os seus aposentos. Deixei o lugar onde estava escondido sem que ninguém me visse entrar ou sair. Um escravo levou-me à princesa, que, vendo-me ferido, mandou chamar um médico, e disse-lhe: "Cura este jovem o mais rápido que puderes. Tua sorte depende disso".

Graças aos remédios, em quarenta dias, eu estava gozando de perfeita saúde. A princesa recompensou o médico. Deu-me um manto de honra e também uma grande soma em dinheiro, muito acima do valor de minhas mercadorias. Depois, reuni meus amigos e companheiros mercadores e parti.

Ao alcançar este lugar, mandei construir este jardim e esculpi esta estátua da princesa. Dispensei meus amigos e servos, e passei a viver aqui, em paz e tranquilidade, onde espero terminar meus dias.

Neste lugar, com o coração feliz, vivo e venero esta imagem.

Ó dervixes!, depois de ouvir esta história, abandonei a vida que até então tivera; cobri-me com as vestes dos peregrinos e parti para ver o País dos Francos. Caminhei através de desfiladeiros e precipícios nas montanhas, atravessei rios e planícies, até parecer estar tão louco quanto Majnun.

Por fim, depois de um longo tempo, cheguei à cidade, a mesma em que o adorador de ídolos havia estado. Diversas vezes, vaguei pelas ruas, como ele o fizera, demorando-me nos arredores do palácio da princesa. Mas nunca tive uma única oportunidade de vê-la, embora ouvisse muita gente falar de sua beleza.

Certo dia, no agitado bazar, ouvi um grande alarido, e o povo começou a correr em todas as direções. Para minha surpresa, vi um jovem que investia contra todos que encontrava à sua frente, brandindo a espada e urrando como um touro selvagem. Ao ver-me, parou e revirou os olhos como um lunático, parecia estar a ponto de me cortar em dois. Mas eu me mantive firme, e ele passou por mim, sem sequer tocar-me. Seguiu adiante, sempre acompanhado por dois escravos que carregavam o que parecia ser um esquife, coberto por uma preciosa capa de veludo bordado a ouro. Sendo um homem curioso, eu os segui, imaginando aonde iriam e qual seria o significado daquele enigma. O jovem parou à porta de uma imponente mansão. Porém, antes de entrar, olhou para trás e viu-me; novamente pareceu estar a ponto de atacar-me, mas, ao que parece, pensou melhor e, mais uma vez, se deteve.

"Vai em frente!," disse-lhe. "Estou cansado da vida e não tenho medo da morte, mata-me se quiseres."

"Por que estás procurando a morte?," perguntou-me, surpreso.

"É uma longa história. Sentemo-nos em algum lugar e te contarei tudo", respondi. "Estou preso nas garras de um diabólico dilema. Minha doença é o amor, e por isso a morte me é indiferente."

Ele levou-me para dentro de sua casa, e convidou-me para uma refeição. Sentamo-nos sobre um tapete, com as costas apoiadas em lindas almofadas bordadas de Bokhara. Então, relatei-lhe minha história. Contei do velho homem, da estátua da princesa e do propósito que me trouxera até ali: obter um vislumbre de sua beleza. Quando terminei a narração, ele ficou muito sério.

"Ah!, meu amigo, se apenas soubesses quantos inocentes já foram arruinados por causa da deslumbrante beleza desta mulher!," exclamou. Em seguida, disse que faria algo por mim e pediu-me que o esperasse. Mandou chamar seus criados; fui barbeado, banhado e vestido com roupas limpas.

"O esquife que aqui vês", continuou ele, "que foi carregado por estes dois escravos pela cidade, contém o corpo daquele jovem e infeliz príncipe, aprisionado por um tirano e assassinado pela traição de um vizir. Sou seu irmão adotivo, fui eu quem disparou a flecha que matou o vizir. Desde então, tenho transportado seu esquife pelas ruas, lamentando o terrível fim de meu pobre irmão."

"Deus fez este homem enlouquecido sentir amizade por mim", pensei, "ficarei a seu lado, pois sinto que há alguma razão oculta neste nosso encontro." E lhe disse: "Compreendo teus problemas, meu amigo. Eu poderia ficar morando contigo por algum tempo, fazendo-te companhia, se isto te agradar".

"Certamente", ele respondeu. "Permanece sob meu teto o tempo quiseres." E convidando-me a segui-lo, disse: "Vem comigo, te levarei à morada da princesa. Carregaremos juntos o corpo de meu irmão assassinado, tu o seguras de um lado e eu do outro".

Assim, levamos o esquife conosco. Algum tempo depois, chegamos a um grande pátio; escravos e criados andavam de um lado para outro, servindo os mais variados tipos de comida e bebida; preciosos aromas perfumavam o ar; ao centro, jorravam fontes de águas tão frescas quanto as do Paraíso. Depositamos nossa carga num lugar apropriado e enviamos uma mensagem à princesa, dizendo que desejávamos ser admitidos à sua presença.

Para minha surpresa, a princesa logo apareceu, vestida com magnificência, e subiu os degraus que conduziam a um trono estofado de veludo. Seu rosto estava coberto por um véu de seda cor-de-rosa. Ela era atendida por quatro moças extremamente sensuais, de beleza quase tão sublime quanto a sua, cada uma trajada de acordo com os costumes de seu país natal. Meu amigo permaneceu à sua frente, de pé e com os braços cruzados, numa atitude respeitosa, e depois sentou-se na beirada de um tapete. Então, foram entoadas preces ao príncipe morto.

"Pérola do Mundo!", disse o irmão adotivo, "que a paz esteja contigo! Sabe que o príncipe da Pérsia deixou seu país e seu povo apenas porque ouviu falar de tua incomparável beleza e perfeição. Este peregrino de Deus abandonou sua terra e passou longo tempo vagando pela cidade, sozinho e sem amigos, apenas para poder ver-te. Por fim, desejando morrer de amor por ti, passou a seguir-me.

Eu estava a ponto de descer minha espada sobre seu pescoço, e ele sequer se moveu. Procurou a morte e jurou não ter mais vontade de viver. Em nome da justiça, peço-te, tem piedade dele."

O véu da princesa deslocou-se ligeiramente para o lado, e pude ver suas belas feições e seus grandes olhos brilhantes.

"Ele é realmente um príncipe?," ela perguntou. "Então, que se apresente a mim!"

Imediatamente o irmão adotivo levantou-se e conduziu-me à sua presença. Ao ver a princesa tão próxima, meu coração disparou com tal violência que quase perdi os sentidos; por um breve momento, olhei dentro de seus olhos e senti o tempo deter-se numa eternidade.

Ela cobriu novamente seu rosto e graciosamente desceu os degraus até o piso da sala, e desapareceu atrás do cortinado de uma porta. Ainda sob o efeito de seu encanto, permaneci imóvel como que transformado em pedra.

Meu novo amigo levou-me para sua casa e disse-me: "Contei à princesa tudo a teu respeito, a história de tua vida e tuas aventuras, do começo ao fim, e agora ela conhece tudo sobre ti. Vai todas as noites ao palácio, espera que ela te receba e desfruta quanto puderes sua companhia".

Quando chegou a noite, voltei ao palácio e sentei-me, à espera de que ela aparecesse. Depois de uma hora, a princesa entrou suavemente no salão de recepções, mais linda que nunca, tão deslumbrante quanto o sol, as sedas de suas vestes eram matizadas como o arco-íris e suas joias brilhantes como estrelas.

Estávamos sozinhos, exceto por uma jovem escrava. Para minha alegria, ela aproximou-se e veio sentar-se numa almofada a meu lado, enquanto a escrava a abanava com um leque de penas de pavão. Agradeci a Deus por me ser concedida tal graça; ajoelhei e beijei seus pés brancos como o marfim.

"Levanta-te", ordenou-me, "não te rebaixes assim. Seria melhor que partisses o mais rápido possível. Vai!, talvez para algum outro país."

"Mas acabo de encontrar-te! Sê bondosa para comigo e deixa ao menos que te contemple um pouco mais", gritei inconformado.

Tomei-a pela mão e, olhando-nos nos olhos, começamos a caminhar pela casa e pelo jardim, e então pelas ruas e pela cidade, até que não sabíamos mais onde estávamos, tão profundo era o poder dos sentimentos que nos arrebatavam.

Subitamente, ao percebermos que estávamos perdidos, a princesa disse com irritação: "Não posso mais seguir adiante! Leva-me imediatamente a um lugar onde eu possa descansar. Meus pés estão doendo e cheios de bolhas. Tu deves, com certeza, ser louco para tirar-me de meu palácio assim desta maneira".

"Minha casa fica logo em frente", disse-lhe. "Peço-te apenas um pouco mais de paciência."

Tal era minha angústia por seu desagrado que eu começara a mentir. A sorte, porém, conduziu-nos a um imenso portão, cuja fechadura estava selada por um lacre. Percebendo que a casa estava vazia, fechada até o regresso do dono, apalpei desajeitadamente o lacre até rompê-lo, e entramos.

Era uma casa magnífica, com tapetes shirazi e afeganis dispostos sobre o piso de mármore e muitos espelhos nas paredes; sobre uma mesa coberta com toalhas de Damasco, cântaros cheios de vinho, frutas e pão fresco em travessas de porcelana chinesa, e um enorme prato de carne assada na cozinha. Estávamos tão cansados e famintos que nos lançamos como selvagens sobre aquelas iguarias. Parecia que há séculos não comíamos ou bebíamos. Depois, deitamo-nos num leito do mais fino linho branco entre cobertores de plumas. Era a glória absoluta, eu e minha amada princesa, juntos, naquela magnífica casa.

Ao amanhecer, a cidade estava em pânico por causa do desaparecimento da princesa. Proclamações foram afixadas em cada esquina, e os arautos apregoavam a notícia desde o alto das torres. Emissários foram enviados em todas as direções com ordens de esquadrinhar cada recanto da cidade, e também no campo, guardas postavam-se a poucas jardas de distância um do outro; nem mesmo uma formiga conseguiria passar sem ser notada. Arcas e armários eram vasculhados e as tropas reais invadiam sótãos e porões. Em suma, a região inteira fervilhava.

Correu o boato de que aquele que trouxesse qualquer notícia sobre o paradeiro da princesa receberia mil peças de ouro, e todos os habitantes, ricos e pobres, uniram-se nessa busca. Seria só uma questão de tempo até que chegassem à casa onde nos escondíamos, com efeito, isso logo aconteceu. Uma velha feia e decrépita, toda vestida de preto e com um rosário de contas nas mãos, entrou pelo portão que eu havia arrombado. Ela levantou seu único olho são para o céu e derramou bênçãos sobre minha princesa.

"Ó respeitável senhora desta casa", lamentou-se ela, "rogo, em nome do que há de mais sagrado, que me ajudes. Tenho uma filha, pobre menina!, que neste momento sofre as dores do parto. Sou apenas uma pobre mendiga e não possuo sequer uma moeda de cobre para comprar-lhe alguma coisa, nem óleo para a lâmpada, nem comida para nós duas. Nobre senhora!, em memória de tua mãe, dá-me alguma coisa para comer, que eu não retorne de mãos vazias à minha choupana, e que tua generosidade seja lembrada para sempre."

Com toda a bondade de seu coração, minha querida princesa tirou o anel de seu dedo e entregou-o à pobre mulher, bem como alguns pães e um pedaço de carne assada, tudo quanto a horrível megera podia carregar. Disse também que retornasse quando estas provisões acabassem e apanhasse tudo o que fosse preciso, a qualquer hora que desejasse.

A velha de aparência vil, de quem não gostei desde o primeiro instante, clamou aos céus sua gratidão por minha senhora, usando as mais extravagantes expressões, e partiu. Suspeitei que ela tramava alguma maldade, pois sua história soava-me falsa, dada minha experiência de vida.

Mal transpusera a porta, vi a megera jogar fora a comida e guardar o anel, dizendo: "Ah, agora tenho uma prova da identidade da princesa!"

Mas, quando ela alcançou o portão, eis que o dono da casa retornava. Ele montava um imponente cavalo árabe, trazia uma lança em suas mãos e parecia ser um guerreiro de grande valor. Ao ver sua porta arrombada e a velha saindo com vileza e culpa estampadas em suas feições enrugadas, ele a interpelou. Como seus gaguejos não faziam o menor sentido, ele a agarrou e amarrou-a numa árvore.

No instante que vi aquele homem, fui dominado pelo medo. Mas meus temores se dissiparam, pois assim que viu a princesa, reconheceu-a imediatamente e caiu de joelhos diante dela. Jurou segredo sobre nosso paradeiro e disse que poderíamos permanecer ali o tempo que fosse preciso.

"Esse príncipe trouxe-me para cá", disse a princesa sorrindo, "pois caminhei desde o palácio até aqui e estava exausta e com os pés feridos."

"Possa eu ser o sacrifício oferecido pela vida de Vossa Alteza!," bradou o guerreiro. "Defenderei a senhora e o príncipe de todos os que aqui chegarem; se alguém tentar levar-vos contra a vontade, terá que me enfrentar."

"Obrigado, bravo súdito, do fundo de meu coração", ela replicou.

"Qual é o teu nome?" perguntei. "Um dia, quando me for possível, recompensarei tua lealdade para com a princesa e comigo, pois jamais o esquecerei, não importa o que aconteça."

"Sou Bihzad Khan, o Guerreiro", ele respondeu.

Por cerca de seis meses, ele permitiu que vivêssemos em sua casa, em perfeita paz e segurança, sendo tratados com todos os luxos. Apenas a lembrança de meus pais e de minha terra natal, que algumas vezes me ocorria, era capaz de turvar o encantamento de minha vida com a princesa.

Um dia, vendo meu semblante melancólico, Bihzad Khan perguntou: "Qual foi minha falta para que te sintas infeliz sob meu teto? Conta-me, ó príncipe, e hei de remediá-la imediatamente".

"Não te preocupes, meu amigo! É que, às vezes, por alguns momentos, sinto saudades de meu lar e de meus pais", respondi.

"Quem poderia ter feito mais por nós senão tu, que nos protege e nos alimenta com tamanha generosidade?"

"Se estiveres cansado deste lugar, partirei contigo e serei teu guardião na jornada de volta ao lar, mesmo que isto tome o resto de minha vida", disse meu bravo companheiro.

"Talvez eu pudesse ir, por um breve período, até minha terra natal", considerei, pensando mais seriamente no assunto. "Não ficarei fora por muito tempo... É um dever que tenho para com meus pais, depois de minha tão longa ausência, saber como têm passado e como se encontram agora. Na verdade, fui negligente em não lhes escrever, sequer sabem se estou vivo ou morto."

"Ó príncipe da Pérsia", disse Bihzad, "comprarei os melhores cavalos de raça, um garanhão turco para ti e uma égua síria para a princesa. Assim, tão logo ordenares, poderemos partir."

Se bem o disse, melhor o fez, e no dia seguinte trouxe-nos os cavalos.

Rapidamente, preparamos provisões para a viagem e partimos, escoltados pelo guerreiro, armado até os dentes.

Três soldados armados guardavam os portões da cidade, e Bihzad Khan tratou de afastá-los enquanto galopávamos para fora da cidade. Algum tempo depois, percebemos que estávamos sendo seguidos por uma tropa de cavaleiros, que ameaçava nossa retaguarda com suas lanças brilhando ao sol. Quando parecia que não escaparíamos, Bihzad Khan deu meia-volta em sua montaria e investiu contra eles como um lobo entre ovelhas, e com sua grande espada cortou a cabeça do líder.

"Vinde, atacai-me, sou Bihzad Khan!", gritava o guerreiro, brandindo sua espada. "Quem quiser perder a cabeça, que venha enfrentar-me!"

Ante aquele ataque imprevisto e tendo perdido seu capitão, os outros deram meia-volta e fugiram para longe. Como diz o provérbio: "Tudo depende da cabeça. Quando esta se foi, tudo está perdido". Assim, pudemos passar em paz, deixando aqueles domínios para trás.

Para encurtar uma longa história, viajamos muitas léguas atravessando rios, vales incrustados de lagos azuis e pântanos salgados. Por fim, alcançamos a mais longínqua província do reino de meu pai, e, enquanto descansávamos um pouco, enviei um aldeão na frente com uma carta, avisando-o de minha chegada.

Quando estávamos tomando um barco para atravessar o mais largo rio do reino, na margem distante, avistei a comitiva de meu pai, um gigantesco tropel com emires e vizires em trajes de gala, seguidos por trombeteiros e porta-estandartes. Incitei meu cavalo turco para que se atirasse na água e fiz a travessia do rio, depois cavalguei até meu pai, o rei, com toda a alegria do mundo. Ele me abraçou, profundamente comovido; desde meus tempos de criança que não nos sentíamos tão felizes juntos.

Mas, ai de mim!, uma desgraça viria a ocorrer nos próximos instantes. Quando a égua que minha princesa montava viu meu garanhão atirar-se nas águas do rio, ela o seguiu, tentando alcançar a outra margem do mesmo modo. Mas a égua síria, não sendo tão forte quanto meu garanhão, foi tragada pela correnteza, enquanto a princesa puxava as rédeas com força. A pobre égua rodopiou nas águas revoltas, arrastando consigo minha amada para as profundezas enfurecidas. Quando percebi o que estava acontecendo já era tarde. Em vão, tentamos alcançá-las, mas ambas foram engolidas pelas águas e, sob nossos olhares impotentes, desapareceram de vista.

Então, o bravo Bihzad Khan, atirou-se no rio com seu cavalo, tentando resgatar a princesa, mas também foi engolfado pela correnteza traiçoeira e não pôde escapar. Seu cavalo conseguiu nadar até a margem, porém não havia sinal algum do corpo do nobre guerreiro. O rei deu ordens para que o rio fosse dragado, mas ainda que soldados e pescadores procurassem o dia inteiro com suas redes e ganchos, nem a princesa nem o guerreiro puderam ser encontrados.

Ó vós que usais o manto dervixe! Podeis imaginar meu desespero e encontrá-lo dentro de vossos próprios corações, apiedando-vos de mim por aquele momento, quando compreendi que minha bela princesa havia partido para sempre? Certamente homem algum, desde o início do mundo, sentiu-se tão atormentado quanto eu naquele instante. Se minha princesa tivesse morrido de alguma doença, ou de velhice, talvez pudesse tê-lo suportado com fortaleza e resignação, mas vê-la afogar-se diante de meus olhos, no momento em que alegremente voltava a reunir-me a meu pai...

Naquela noite, acampado à margem do rio, pensando em meu amor perdido, decidi buscar a morte afogando-me nas mesmas águas que lhe tiraram a vida. Quando já estava imerso até o pescoço, fui puxado para fora do rio pelo mesmo cavaleiro vestido de verde que foi vosso salvador.

"Não sejas tolo rejeitando a vida que te foi dada por Deus", disse tentando confortar-me. "A princesa e Bihzad Khan estão vivos. Tem paciência e, em breve, poderás vê-los novamente. Agora, vai à cidade de Rum. Lá encontrarás outros dervixes, que para lá também se dirigem, e alcançarás aquilo que mais almejas no mundo. Adeus."

E, assim dizendo, desapareceu de minha vista, como neve sobre o deserto.

Assim, irmãos dervixes, eis-me aqui neste encontro decisivo, esperando, contra toda a esperança, que as palavras do cavaleiro verde venham a ser verdade.

Esta é minha verdadeira história, que expus diante de vós, sem nada acrescentar e sem nada omitir.

As aventuras do Quarto Dervixe

Então, o quarto dervixe sentou-se e começou a contar sua história:

Ó guias do Caminho Reto!, escutai e julgai por vós mesmos o mérito de meu caso.

O homem que aqui vedes reduzido a este pobre e infeliz estado nem sempre foi assim. Sou príncipe por nascimento, filho do rei da China. Fui muito bem educado desde os meus primeiros anos, e todos aqueles que cuidavam de mim cumulavam-me de atenções. Eu nada sabia de doenças, pobreza ou angústias, tal como ocorre no mundo dos homens, pois cresci na Cidade Celestial, sendo tratado quase como um deus.

Eu vivia e desfrutava de todos os luxos, e não tinha a menor consciência de que pessoas viviam e morriam em condições diferentes das minhas.

Certo dia, porém, quando meu pai estava prestes a partir desta vida, mandou chamar seu irmão mais novo e lhe disse: "Querido irmão, estou para morrer e tenho um pedido a fazer-te com o alento que me resta. Torna-te um pai para meu querido filho; até que ele possa reinar sobre estes vastos domínios, deves sentar-te no trono em seu lugar. Quando chegar a idade apropriada, casa-o com tua filha, Roshan Akhtar,[14] e, desde o céu, eu te abençoarei pelo resto de teus dias". E, proferindo essas palavras, morreu.

---

14. *Roshan Akhtar* significa, em persa, "estrela da iluminação".

Realmente, meu tio ocupou o trono em meu lugar, até que eu completasse quatorze ou quinze anos. Eu ansiava pelo dia em que teria idade suficiente para casar-me com minha linda prima, por quem sempre senti grande afeição, e esperava, em perfeita conformidade, o momento em que herdaria o reino de meu pai.

Costumava sentar-me e conversar com um escravo chamado Mubarak,[15] por quem meu pai nutria grande estima, e que me instruía em muitas coisas.

"Louvado seja Deus", disse-me, um dia, "estás chegando à primavera de tua vida e breve desposarás tua prima, como pretendia teu falecido pai. Quando fores rei, queira Deus sejas tão grande e bondoso quanto teu honorável pai."

Naquele mesmo dia, Mubarak foi à presença do rei, meu tio, e perguntou-lhe: "Vossa Majestade, quando o jovem príncipe se casará? Não seria uma boa ideia mandar fazer seu horóscopo, para que possamos encontrar a data mais propícia e auspiciosa?"

"Tens razão, velho homem", disse o rei. "Tratarei disto hoje mesmo."

Mas quando os vários astrólogos da corte reuniram-se para estudar meu futuro casamento, ficaram alarmados.

"Senhor", disseram a meu tio, "todo este ano, que é o Ano do Leão, é muito adverso. Durante esse período, de forma alguma deves permitir a união de vossa filha, a princesa Roshan Akhtar, com o príncipe. Os astros estão cheios de presságios desastrosos e maléficos."

"Qual a data mais oportuna para que se casem?," perguntou meu tio.

"O próximo ano parece bem mais aconselhável, sob todos os aspectos", disseram.

"Leva contigo o jovem príncipe", disse o rei a Mubarak, "e cuida que se dedique a seus estudos por mais outro ano."

---

15. *Mubarak* significa, em árabe, "abençoado".

Alguns dias mais tarde, vi meu velho escravo Mubarak sentado num tapete, com o olhar triste e cabisbaixo.

"Qual é o problema, meu querido e velho amigo?," perguntei. "Conta-me tudo e tentarei remediar o que estiver errado da melhor forma que for capaz."

"Oh! Por que vivi para ver este dia?," exclamou o escravo. "Nunca deveria ter-te levado à presença daquele malvado tirano."

"Meu tio, um tirano?," perguntei atônito.

"Sim, é isso o que ele é na verdade, embora tu, tão inocente, não possas percebê-lo. Todos os nobres e conselheiros da corte, vendo-te tão crescido e inteligente, querem que ocupes o trono tão logo seja humanamente possível."

"Muito bem, e daí?," disse eu. "Acaso não nasci para um dia reinar?"

"Não, meu príncipe, não estás entendendo. Teu tio não pretende deixar-te reinar. Ainda agora, mandou chamar-me para dizer que, de algum modo, em segredo, tu deves morrer."

Fiquei alguns instantes sem compreender a verdade daquela declaração, só conseguia olhá-lo, atordoado.

"Por Deus!," exclamei, "que fique com o trono, mas deixe-me com minha vida, pois seria injusto partir deste mundo sem ter saboreado nenhuma de suas maravilhas."

"Acabo de imaginar um plano", disse Mubarak. "Nada temas, príncipe, deixa tudo em minhas mãos. Se tudo ocorrer como penso, serás salvo. Enquanto houver justiça neste mundo, viverás."

Ele levou-me ao aposento onde meu pai, o antigo rei, costumava sentar-se e meditar. No meio do quarto, havia um pequeno banco sobre um inestimável tapete do Turquestão. O velho homem levantou o banco e retirou o tapete, revelando um alçapão secreto. Ao abri-lo, pude ver apenas alguns degraus. Mubarak fez sinal para que eu descesse. No início, fiquei com medo, não sabia para onde estava sendo levado. Fechando a porta atrás de nós, Mubarak começou a descer na frente, guiando-me na escuridão.

Ao fim da escada, chegamos a uma sala; esta conduzia a uma outra, e ao fundo desta, encontramos ainda mais outras duas. Em cada uma delas havia enormes vasos de ouro, suspensos por fortes correntes douradas que pendiam do teto. Cada vaso continha tesouros que mesmo eu, habituado desde a infância às riquezas do mundo, jamais vira antes: pérolas e diamantes facetados, rubis e esmeraldas do tamanho de ovos de pata, águas-marinhas, contas de lápis-lazúli, corais e opalas incandescentes.

Contei sessenta vasos nas quatro salas, cada um deles repleto de objetos preciosos, barras de ouro, lingotes de prata. Havia também pequenas estatuetas de macacos, forjadas em ouro sólido com gemas incrustadas no topo.

"Que significam estas figuras?," perguntei.

"Teu falecido pai, de feliz memória, tornou-se amigo do rei dos *djinns*", disse Mubarak. "E, cada vez que visitava seu palácio, retornava com um macaco feito de ouro e pedras preciosas. Certa vez, perguntei a teu pai por que trazia essas réplicas horrorosas, quando poderia escolher um incomparável rubi do Badakhsan ou uma esmeralda das minas do Shah — 'Silêncio, Mubarak,' respondeu-me, 'nada sabes sobre isto. Dentro de cada uma destas estátuas de macaco, pequenas como são, dormem mil poderosos *djinns*, que estarão sob as ordens de quem as possuir. Quando eu tiver recebido o quadragésimo macaco de meu amigo Malik Sadiq,[16] o rei dos *djinns*, eles estarão sob meu completo comando.' Mas no ano em que o rei morreu, só havia trinta e nove destas estátuas na sala do tesouro.

---

16. *Malik Sadiq* significa, em árabe, "Rei da Justiça". Observe-se aqui que, ao contrário dos "gênios", tal como são entendidos comumente no Ocidente, os *djinns* não são figuras meramente fabulosas, mas ocupam lugar definido na cosmologia muçulmana, sendo, como já vimos, tomados como entidades intermediárias aos anjos e aos homens; estão ainda relacionados aos *nafs*, a alma, ou psique, isto é, a realidade sutil constituída pelo conjunto de tendências individuais. Segundo Ibn Arabi, os *djinns* estão associados ao signo de Aquário e ao nome ou atributo divino *Al-Latif* (O Sutil) (v. Titus Burckhardt, *Les Clés Spirituels de l'Astrologie Musulmane selon Muhyudin Ibn Arabi*, Arché, Paris).

"Agora, se puderes visitar o rei dos *djinns* e lembrar-lhe a amizade de tantos anos que manteve com teu pai, talvez consigas o quadragésimo macaco. Ao menos vale a pena tentar, pois imagina o poder que terias, se tivesses tantos *djinns* sob teu comando."

"Ó meu bom Mubarak!," disse-lhe, "és meu único e verdadeiro amigo, farei o que acreditas ser melhor para mim."

"Irei às lojas procurar alguns presentes, incensos do Líbano e outras oferendas apropriadas para levares a Malik Sadiq, o rei dos *djinns*", e assim dizendo, meu fiel escravo partiu.

No dia seguinte, Mubarak foi ao encontro de meu perverso tio. "Ó Portal da Sabedoria e Fonte de Conhecimento!," disse, "acabo de conceber um plano para a destruição do príncipe".

"Conta-me, ficarei deliciado em ouvi-lo", disse o rei.

"Eu o levarei até os bosques;" disse o escravo, "longe dos olhos de todos, poderei matá-lo e enterrá-lo ali mesmo, e ninguém será capaz de descobrir o que aconteceu."

"Excelente", disse o rei, sorrindo, "sua morte nunca me parecerá precoce demais. Faz como dizes e traze-me a boa notícia assim que tudo estiver consumado."

Ao sair da câmara real de audiências, Mubarak veio a mim e disse que havia chegado a hora. Reunimos algumas provisões, envolvemos os presentes para Malik Sadiq em mantas de seda e partimos no meio da noite. Ao amanhecer, já estávamos longe de minha cidade natal e, tomando atalhos e desvios pouco conhecidos, colocamo-nos fora do alcance de meu tio.

Caminhamos por longo tempo, a pé, até que Mubarak disse: "Meu príncipe, entramos nos domínios de Malik Sadiq. Seus lacaios estão à nossa volta, em bandos."

Olhei cuidadosamente ao redor, mas nada vi que parecesse ser homem ou *djinn*.

"Deixa-me pôr sobre teus olhos este unguento de Salomão", disse Mubarak; e, tirando do bolso um frasco contendo uma pasta feita com pó preto, tocou meus olhos com uma pequena haste embebida da poção.

Num instante, pude ver um vasto exército de *djinns* a nossa volta, e muitos outros no ar, acima de nós. Vários deles reconheceram Mubarak, abraçaram-no e começaram a brincar com ele.

Fomos escoltados ao acampamento de Malik Sadiq. As tendas formavam um espetáculo assombroso: servos de diferentes graus hierárquicos, de todas as partes do mundo, postavam-se em pé, com os braços cruzados, do lado de fora de cada tenda; uma multidão de nobres, comandantes militares e filósofos circulava em todas as direções. No centro do acampamento, havia um enorme pavilhão e, lá dentro, num trono incrustado com milhares de pedras preciosas, estava Malik Sadiq, o rei dos *djinns*. Seu manto era bordado com pérolas tão grandes e brilhantes que me ofuscava o olhar, e sua magnífica coroa de ouro refulgia como o Sol.

Fui convidado a sentar-me e, enquanto o rei dos *djinns* fitava-me cordialmente, Mubarak contou-lhe minha história, acrescentando ao final: "O caso é, Majestade, que este príncipe vem agora buscar vossa ajuda para expulsar o usurpador do trono de seu pai, invocando o poder do quadragésimo macaco que Vossa Majestade prometera a seu falecido pai, vosso amigo. Ele nada possui, a não ser a esperança de vossa proteção e amizade".

"Entristece-me a morte de meu amigo", disse Malik Sadiq, "e com prazer ajudarei seu filho naquilo que me for possível. Todavia, neste momento, enfrento um problema de difícil solução. Se o jovem príncipe puder ajudar-me neste assunto e não me decepcionar de modo algum, como é comum entre os mortais, então, serei para ele um amigo ainda mais valioso do que o fui para seu pai, de saudosa memória. Se obtiver sucesso no que lhe vou pedir, poderei conceder-lhe qualquer coisa que deseje no mundo."

"Farei qualquer coisa que me for solicitada", respondi, ajoelhando-me, "e prometo fazê-lo exatamente como Vossa Majestade o desejar."

"És ainda um rapaz", advertiu o rei dos *djinns*, "e, estando submetido às fraquezas humanas que lhe são inerentes, receio decepcionar-me contigo. Porém, apesar disso, sois feitos de terra, enquanto nós somos feitos de fogo; quem sabe possas ter sucesso onde nós fracassamos."

"Deus estará a meu lado", disse-lhe com convicção, "Ele não me abandonará."

Então, Malik Sadiq tirou de seu bolso uma miniatura de marfim: a imagem da mais bela dama que jamais me fora permitido ver. Imediatamente, senti como se minha alma tivesse sido removida do corpo, e senti-me frágil como um recém-nascido.

"Pois bem", disse o rei, "desejo que encontres esta mulher, cuja imagem podes ver esculpida nesta miniatura. Traze-a para mim; não me preocupa quanto tempo levarás, nem mesmo se te custará o resto de tua vida mortal. Vai até ela e dize-lhe que lhe tenho grande afeição. Tudo o que desejo é tê-la aqui, ante meus olhos. Vai! Possas em breve ter sucesso, e assim conquistar tua recompensa."

Tomei a miniatura em minhas mãos e contemplei-a longamente. Foi incrível o efeito que isto provocou em mim: sentia-me forte e ansioso por começar minha busca. Era como se tivesse conversado com a dona daquele rosto encantador, jurando encontrá-la face a face, ainda que isso me custasse a vida. Enfim, despedi-me do rei e, na companhia de Mubarak, deixei aqueles domínios.

Para encurtar uma longa história, por sete anos, vagamos, de cidade em cidade, de país em país; atravessamos continentes e mares, e ainda não havíamos encontrado o belo rosto que inspirara aquela imagem. Muitas vezes, chegávamos a um lugar e descobríamos que ela acabara de partir. As pessoas nos diziam: "Sim, ela esteve aqui semana passada", ou "não, há muitos meses não a vemos", ou "já vimos este rosto, mas não conseguimos lembrar onde ou quando". E, assim, continuamos a perdê-la, ano após ano.

Até que, um dia, chegamos a uma grande cidade na qual se adorava o Deus Único.

"Uma esmola! Uma esmola, por amor a Deus!", entoava um mendigo cego do Hindustão, tateando seu caminho pelas ruas com uma bengala torta. Apiedei-me dele e, de acordo com o costume, apanhei a primeira moeda que meus dedos tocaram dentro de minha bolsa: era uma moeda de ouro, que dei a ele com grande satisfação.

"Que mil bênçãos caiam sobre ti!," exclamou o mendigo, ao prová-la com a língua e descobrir seu valor. "És um estrangeiro?," perguntou, apalpando minha mão e beijando-a em gratidão.

"Sim", respondi, transparecendo meu cansaço; "nos últimos sete anos tenho viajado por milhares de léguas, procurando sem sucesso a mulher que devo encontrar para alcançar o desejo de meu coração. Deus sabe quanto tempo ainda terei que procurar."

"Vem comigo, generoso senhor", disse o velho cego, "se aceitares minha hospitalidade, dar-te-ei abrigo em minha humilde morada."

Segui na direção indicada pelo pobre mendigo, e chegamos a um grande edifício em ruínas, que certamente havia conhecido dias melhores. Tateando com sua bengala, ele guiou-nos através de um portal até uma fonte que havia no centro de um grande salão para que nos lavássemos e saciássemos a sede.

"Como foi o teu dia hoje, pai?", perguntou uma suave voz vinda de mulher detrás de uma pilastra.

"Minha querida filha", disse o velho, alegremente, "este homem generoso deu-me uma moeda de ouro; graças a ele teremos comida para vários dias."

Olhei na direção daquela voz melodiosa, e vi uma jovem que era a perfeita imagem da miniatura que me havia sido dada por Malik Sadiq. Percebi, assombrado, que a imagem que trazia na bolsa, agora gravada em minha mente e meu coração, correspondia fielmente a seu original. Nenhum detalhe fora esquecido: os olhos amendoados com longos cílios negros, a face oval da cor do marfim, a boca rosada como o coral, enfeitada de pérolas. Quase perdi os sentidos e cambaleei ante a beleza daquela visão.

"O que há, meu príncipe?," sussurrou Mubarak, amparando-me. "Estás doente?"

"Não", murmurei, "estou bem, nada há de errado comigo. É que finalmente encontramos o objeto de nossa busca." E prossegui em voz alta: "Ó criaturas de Deus!, se me deixardes ficar aqui convosco, serei muito grato, pois, nesta estranha cidade, não encontrei atmosfera tão agradável quanto a de vossa humilde morada. Tenho vossa permissão para ficar?"

"Claro, serás nosso hóspede por todo o tempo que precisares", disse o velho. "Além do mais, somos teus devedores; desde que ficamos pobres, jamais possuímos um tesouro como o que nos deste. Mas, dize-nos, quem és e por que viajaste até aqui?"

"Nada posso ocultar-vos", respondi. "Sou o filho do rei da China. Após a morte de meu pai, encontrei entre seus tesouros uma pequena estátua de marfim que reproduzia a figura da mais linda jovem que meus olhos jamais viram. Quase perdi o juízo; e, desde então, vestido com esta roupa de peregrino, tenho perambulado pelo mundo à sua procura."

Nada mencionei a respeito de Malik Sadiq, o rei dos *djinns*, temendo amedrontar meus ouvintes. Porém, revelando a perfeita semelhança daquela imagem com a mulher que tinha diante de mim, declarei-lhe meu amor.

"Ah!, meu bom senhor, sei que és um homem generoso." disse o mendigo, dando um longo suspiro. "Ouve agora minha história e conhece o infortúnio que se abateu sobre minha querida filha, pois nenhum homem pode desposá-la ou desfrutar de seu amor."

Sem conseguir desviar os olhos da linda jovem, não pude entender a razão daquela sina. Pedi-lhe, então, que me contasse tudo a respeito, sem omitir detalhe algum.

Então, ele começou a contar sua história:

Escuta, ó príncipe de terras distantes, para que possas saber tudo a esse respeito.

Venho de uma família nobre e muito importante, que por muitos anos foi respeitada e amada nesta cidade. Gozávamos de boa posição na corte, tal como meu pai antes de mim.

Deus agraciou-me com esta filha. Ela cresceu e tornou-se mulher, e sua herança de beleza e serenidade atingiu a plenitude.

O príncipe da cidade ouviu rumores acerca de seus encantos e, sem sequer tê-la visto uma única vez, foi arrebatado por uma forte paixão. Ele não comia, bebia, ou dormia; seu amor por ela deixou-o magro como um espantalho.

Seu pai, o rei, com grande pesar, percebeu a terrível transformação de seu filho. Logo que descobriu o motivo de seu sofrimento — o poder que minha filha exercia sobre o jovem príncipe — o rei veio a mim, dizendo que nossos filhos deviam casar-se, pois seu filho sem dúvida morreria se perdurasse a dor daquela separação. Apesar de não querer deixá-la partir tão cedo de minha casa, não havia como negar que era uma união desejável, pois ela se tornaria princesa e, a seu tempo, talvez até mesmo rainha. Enfim, dei-me por convencido, e imediatamente começaram os preparativos para o casamento.

Na data propícia, todos os nobres estavam reunidos e as bodas foram devidamente celebradas. Porém, no meio da noite, após os noivos terem-se recolhido ao leito, ouviu-se um grito assustador vindo da câmara nupcial. Temendo que algo terrível tivesse acontecido, os guardas deitaram abaixo a porta trancada. No interior do aposento, o terror da cena foi demasiado para os que lá entraram: o príncipe, mergulhado no próprio sangue, estava estirado no chão com a cabeça decepada, e a noiva jazia inconsciente a seu lado, os lábios espumando, banhada no sangue do esposo.

O rei logo apareceu e, vendo o filho mutilado tão barbaramente, derramou lágrimas do mais profundo desespero. E, embora não houvesse testemunha alguma do acontecido, quis vingar aquele crime e decidiu que a noiva também deveria ter a cabeça cortada. Porém, no momento em que o rei proferiu esta sentença, um terrível clamor levantou-se no palácio; todos os aposentos encheram-se de sons aterradores de choro, lamentos e rugidos de bestas selvagens. Todos, inclusive o rei, apavorados, fugiram para a rua. Então, foi ordenado que ela fosse expulsa do palácio, e decretado que nunca mais seria ali admitida, sob pena de morte.

Minha pobre filha, sem saber o que acontecera e privada de seu marido de forma tão cruel, foi trazida secretamente à minha casa. A partir deste momento, ninguém na cidade quis mais nada conosco. Perdi minha posição na corte e não me aceitavam para trabalho algum, por mais humilde que fosse. Desde então, tenho sido obrigado a mendigar diariamente pelas ruas, tentando manter minha querida criança o mais longe possível da fome. Meus amigos tornaram-se os piores inimigos, espalhando mentiras e calúnias da pior espécie a nosso respeito.

Foram decretados, como é costume neste país, quarenta dias de luto pela morte do príncipe. Terminado este prazo, a corte voltou a reunir-se, e o rei consultou seus emires e vizires para saber como poderia vingar a morte de seu filho.

"Vossa Majestade sofreu uma grande mágoa, e nós perdemos nosso futuro soberano", responderam. "No entanto, nas atuais circunstâncias, parece não haver nada a ser feito. Aquele clamor parece obra de demônios. É tudo que temos a dizer."

"Devo condenar a jovem e seu pai à morte!," gritou o rei. "São eles os responsáveis por este crime hediondo, tenho certeza!"

Sob as ordens reais, guardas cercaram minha casa e ordenaram que saíssemos para sermos levados à execução. Porém, quando o capitão da guarda deu seu primeiro comando, uma flecha atingiu seu olho; em seguida, milhares de pedras afiadas caíram do céu sobre os soldados, e uma chuva de óleo fervente foi derramada sobre suas cabeças; todos fugiram como palha ao vento. Durante todo o tempo em que isto acontecia, sons demoníacos, rugidos de bestas selvagens e gemidos de almas condenadas ao inferno ecoavam ao redor.

Apenas o rei ouviu uma voz terrível, que dizia claramente: "Não molestes, nem mandes atacar de forma alguma esta jovem e seu pai. Do contrário, sofrerás o mesmo destino de teu filho. Escuta este aviso, e tem cuidado!"

"Ninguém deve molestar estas duas pessoas", disse o rei apavorado. "Deixem-nas em paz; elas não devem sofrer nenhum tipo de dano. Estas são minhas ordens!"

Desde então, ficamos livres de hostilidades. Mas os astrólogos e sábios do rei ainda tentam descobrir o que nos protege, se é feitiçaria, satanismo ou alguma outra coisa; os habitantes da cidade recitam versos do Corão em busca de proteção contra nós, pois pensam que fomos amaldiçoados por Deus.

Tudo isto aconteceu algum tempo atrás. Diversas vezes, perguntei à minha filha o que ocorreu na noite em que seu marido foi morto, e sua resposta foi sempre a mesma:

"Nada sei; apenas que, quando meu marido desejou levar-me para a cama, o telhado pareceu abrir-se e um trono decorado com milhares de pedras preciosas desceu até o chão do quarto. Sobre o trono havia um jovem vestido com esplêndidas roupas, e à sua volta muitos servos a atendê-lo. Ele se aproximou de mim, dizendo: 'Meu querido amor, como esperas escapar de mim tomando este mortal como esposo?' Lembro-me que, em lugar de pés, o jovem e seus seguidores tinham cascos fendidos, como bodes ou cervos. Quando olhei dentro de seus olhos, meu coração pareceu parar: eram negros e brilhantes, como se pintados com antimônio. Eu simplesmente desmaiei, e não sei o que aconteceu depois, até o momento em que os guardas derrubaram a porta e levaram-me para fora daquele quarto."

Temos vivido neste palácio. Este foi o lar de minha família desde quando posso lembrar, e sinto-me incapaz de deixá-lo, ainda mais após ter perdido a visão. Nunca tivemos ajuda nem dinheiro para reparar o lugar, e por isso está reduzido à ruína que agora vês.

Todos os dias saio para mendigar; algumas vezes, conseguimos o bastante para comer à noite; mas é uma vida dura e amarga, principalmente para minha filha. Por quê, em nome dos céus, ela está condenada a viver assim? Eu simplesmente não posso entender!

A moeda de ouro que nos deste permitirá que minha filha, finalmente, possa comprar vestes mais dignas, e que estejamos bem providos pelos dias que virão.

Se ela não estivesse sob a influência de algum demônio ou *djinn*, eu a daria em casamento ao senhor e seria um pai feliz. Mas não deves pensar nela, pois está enfeitiçada; às vezes, chego a pensar que melhor seria se estivesse morta.

Neste ponto, o velho começou a chorar, e as lágrimas rolavam abundantemente sobre sua barba. Por mais espantosa que fosse, sua história não me deixou desconcertado. Reafirmei meu desejo de desposar sua filha, pois apaixonara-me por ela desde o momento em que sua imagem me havia sido mostrada. No entanto, o velho homem proibiu-me de sequer mencionar meu amor, e novamente insistiu para que eu tirasse essa ideia de minha cabeça, dizendo que seria loucura expor-me ao perigo daquela paixão.

À noite, recolhidos aos nossos aposentos, disse a meu velho escravo: "Mubarak, o que me resta fazer? Ficar aqui e ver aquela que amo com tanta devoção, impossibilitado de lhe dizer uma só palavra sobre minha adoração, é como fel em minha boca. Tentei, de todas as maneiras que conheço, inutilmente, obter o consentimento de seu pai".

"Não te preocupes, ó príncipe!," respondeu Mubarak. "Pensaremos em algo. Não pode ter sido em vão tudo o que sofremos nestes últimos sete anos; não percorremos todo este caminho para voltarmos sem ela."

Durante toda aquela noite, revirei-me na cama, como um navio nas garras de uma tormenta marítima. Em meus sonhos, via apenas a jovem que amava, e sentia meu coração perder-se por estar longe dela, mesmo que por aquelas poucas horas de sono.

Continuei a assediar o velho homem. A cada dia que passava, trazia-lhe frutas, doces e roupas, persistindo em meu pedido como se disso dependesse minha vida, pois na verdade era assim que me sentia.

Um mês mais tarde, o velho mendigo caiu doente; trouxe-lhe remédios e paguei aos médicos uma boa soma de dinheiro para que lhe dessem o melhor tratamento. Eu mesmo costumava vesti-lo e alimentá-lo com caldos ou arroz, e tornei-me como um filho para ele.

Certo dia, já restabelecido, ele me disse: "Ó príncipe!, possuis um caráter verdadeiramente perseverante. Como a água sobre a pedra, venceste minha resistência e hoje, sentindo-me melhor, falarei com minha filha. Lembra-te, nada te prometo, pois ela deve aceitá-lo por livre escolha. Nunca a forçaria a desposar alguém contra sua vontade. Seja qual for sua resposta, sabe que te sou agradecido por tudo o que fizeste por nós, e peço que Deus te abençoe por isto".

"Que tua vida seja longa, velho homem", disse-lhe. "Espero que em breve possa chamar-te de pai."

Mais uma vez, tive uma noite insone e desconfortável, a cabeça queimando em febre.

Para minha grande alegria, na manhã seguinte, quando encontrei o velho homem, ele sorria e balançava a cabeça com satisfação.

"Deus seja louvado!, minha filha aceitou casar contigo", disse ele, "e parece que seu amor é tão grande quanto o teu por ela. Lembra-te, ela é de boa família e tenho certeza que será uma verdadeira esposa para ti. Tens a minha bênção. Mas, infelizmente, temo não ser capaz de protegê-lo do que virá."

Após esta conversa, o velho homem ficou cada vez mais fraco e, pouco tempo depois, morreu em paz.

Enquanto eu fazia os preparativos para nossa partida no caravançarai, Mubarak trouxe-me a linda jovem numa liteira.

"Lembra-te", disse Mubarak, "jamais te esqueças de que esta jovem está prometida a Malik Sadiq, e que juraste levá-la intocada para ele. Não o decepciones, pois, se ousares fazê-lo, ele destruirá a ambos."

"Ó meu amigo de infância", disse-lhe, "o que o julgamento do rei dos *djinns* pode fazer comigo, neste lugar distante? O que tem de ser, será, e o que está escrito não pode ser mudado. Agora deixa-me desfrutar de meu amor."

"Ó pobre e infeliz rapaz", disse o escravo com tristeza, "pensa um instante, pois estás agindo como um tolo! Malik Sadiq não te avisou, de forma muito clara, sobre o que podes ou não fazer? Ele é um rei de verdade, e muito justo; se cumprires tua promessa, e contar-lhe de vosso mútuo amor, ele poderá dá-la a ti em sinal de seu favor real. Mas antes deves levá-la para ele, intocada, como prometeste fazer. Recorda-te também que necessitas do quadragésimo macaco; esqueceste dos assuntos referentes a teu próprio reino?"

Fiquei sem palavras. Não queria ser lembrado de minhas fraquezas; não me agradava escutar a verdade. Comecei a odiar Mubarak como nunca pensei que pudesse odiar outro ser humano, muito menos meu fiel escravo.

Terminados os preparativos para a viagem, partimos através da interminável planície. Eu e a princesa em um camelo, o escravo Mubarak em outro, com pequenas tendas armadas sobre nós para proteger-nos do sol inclemente. Nossos poucos bens estavam amarrados sobre o dorso dos desajeitados animais, que não paravam de grunhir devido ao prolongado esforço daquela jornada. Seguimos em frente, até nos aproximarmos dos domínios de Malik Sadiq. Logo começamos a ouvir estranhos ruídos ao nosso redor, e Mubarak exclamou: "Um exército de *djinns* já está à nossa volta".

Alguns *djinns* apresentaram-se, dizendo que haviam sido enviados por seu rei para nos saudar, e que estavam sob minhas ordens até alcançarmos nosso destino. Eu agradeci, e retomamos nossa marcha, com eles a nos servir.

Eu havia respeitado a linda donzela, sem encostar-lhe um dedo sequer, e ela, por sua vez, conhecendo minha situação, nada fez para desviar-me do estreito caminho da virtude.

Certa noite, porém, ela chorava de modo tão comovente que não pude evitar tomá-la nos braços e confortá-la. Vendo-nos abraçados, Mubarak advertiu: "Toma cuidado, não vá além deste ponto. Tem paciência e não percas a esperança, pois já tenho um plano". E, retirando um frasco do bolso, continuou: "Este unguento que trago comigo tem o poder de repelir os *djinns*, com certeza seu efeito não será diferente com Malik Sadiq; se tua amada untar seu corpo com ele, isto o deixará tão nauseado que talvez a deixe partir".

Ouvindo suas palavras, voltei a sentir grande afeição por meu escravo. Continuamos nossa jornada, e meu bom humor acompanhou-me por muitos quilômetros.

No dia seguinte, escutamos novamente os *djinns* à nossa volta. Desta vez os ruídos eram bem mais fortes que antes; soubemos, então, que havíamos alcançado nosso destino. Descemos de nossas montarias e fomos recebidos com muitos presentes, banhados e vestidos com roupas novas. Mubarak untou o alvo e delicado corpo de minha amada com o estranho unguento e, depois de comermos tâmaras deliciosas, apresentamo-nos, em grande pompa, perante Malik Sadiq, o rei do *djinns*.

Ao ver a mulher que tanto desejara, o rei curvou-se diante de mim, dizendo: "Sou-te muito grato, ó príncipe da China! Receberás tua recompensa como prometido. Agora, és como um filho para mim. Vai!, o reino de teu pai te aguarda".

Nesse momento, o odor do unguento chegou às suas narinas, e suas feições tomaram a expressão do mais puro asco. Ele se levantou e caminhou ao nosso redor, esfregando o nariz com um lenço de seda e segurando-o frente à boca. Finalmente, chamou meu escravo Mubarak e perguntou: "Dize-me, de onde vem este cheiro abominável?"

"Meu senhor", respondeu o escravo, "isso nada tem a ver comigo, e não saberia explicar o que se passa."

"Então foste tu!," gritou Malik Sadiq, apontando para mim.

Pensei que aquele era meu fim e, temendo por minha vida, puxei minha adaga e cravei-a no coração do rei. O golpe pareceu não ter nenhum efeito sobre ele. Abismado, eu apenas observava, enquanto ele assumia a forma de uma bola de fogo que flutuava no céu! Então, descendo como uma bala de canhão, caiu sobre mim, deixando-me sem sentidos. De fato, seu golpe foi tão violento que me espantei de não ter sido feito em pedaços.

Ao abrir os olhos, vi-me deitado sob um céu impiedoso, num lugar imenso e solitário, um deserto onde parecia não haver nada além de espinhos e abutres que sobrevoavam minha cabeça. Com grande esforço, consegui levantar e, caminhando sob o sol ardente, terminei por encontrar um ou dois viajantes. Pareciam aterrorizados, até mesmo para responder minha inocente pergunta: "Vistes Malik Sadiq?" Certamente pensaram que estava louco, e afirmaram nunca em suas vidas terem sequer ouvido tal nome.

Passei a viver apenas de frutos e folhas que encontrava pelo caminho. Até que, certo dia, ao acaso, encontrei-me no cume de uma montanha e, tomado pelo desespero, resolvi atirar-me no abismo. Então, no exato momento em que ia lançar-me no vazio, o cavaleiro verde apareceu, portando a espada Zulfiqar.[17]

"Por que fechar o livro da vida sem ter lido sequer a metade?," interpelou-me. "As páginas de tua infelicidade estão chegando ao fim; agora, deves ler o próximo capítulo. Vai depressa a Rum. Lá, um sinal indicará o lugar onde encontrarás três pessoas que, como tu, passaram por muitas dificuldades. Reúne-te a elas e espera que Azad Bakht, o rei daquele país, venha juntar-se a vós. Estando vós cinco reunidos, os desejos de vossos corações serão atendidos, e conhecereis vossa futura felicidade."

Esta é minha história. Agora, com a ajuda de Deus, talvez alcancemos o fim de nossa desventura.

Assim que o quarto dervixe terminou sua narração, um eunuco entrou correndo no salão e, atirando-se aos pés do rei Azad Bakht, gritou: "Ó rei do mundo! Vossa Majestade é pai novamente. Hoje uma luz brilhou no harém, iluminando o lugar como se

17. Zu'lficar é a célebre espada de Ali, o quarto califa, primo do profeta Muhammad.

o próprio Sol estivesse ali presente! A Lua eclipsou-se, a Via Láctea também!"

"Mas como pode ser? Nenhuma de minhas esposas contou-me que esperava uma criança", disse o rei, surpreso.

"A mãe é a jovem escrava Mahru",[18] respondeu o eunuco, "que ultimamente não tem tido a preferência de Vossa Majestade. Ela deu à luz um menino, a mais linda criança que já se viu!"

O rei sentiu seu coração encher-se de alegria. Pediu aos quatro dervixes que abençoassem seu filho, o que eles fizeram com grande satisfação: "Que a paz esteja em tua casa, e que tua grandeza possa viver para sempre no coração de teu povo!"

"Devo ver o príncipe", disse Azad Bakht. "Assim, peço permissão para deixar a luz de vossa companhia." E imediatamente dirigiu-se ao harém; em sua mente só havia louvor e gratidão.

O menino foi batizado e seu nome era Bakhtyar.[19]

O rei decretou sete dias e sete noites de comemorações; fez dos pobres, homens ricos, e dos prisioneiros, homens livres. Concedeu mais terras e títulos a todos os emires e vizires, e um soldo maior ao exército; distribuiu roupas novas e dinheiro às viúvas e aos órfãos para sua educação e sustento. O reino inteiro foi beneficiado por sua gratidão. Os camponeses foram dispensados de pagar impostos, novos prédios públicos foram construídos, novas mesquitas foram erguidas em louvor a Deus, e até os mendigos tinham prata nos bolsos. As casas, ricas e pobres, encheram-se de júbilo e, em toda parte, as pessoas sentiam em si mesmas o efeito da graça.

Porém, subitamente, em meio a todo o regozijo, prantos e lamentos inconsoláveis interromperam as festividades. A ama-chefe

---

18. Em persa, *mah* é "lua", e *ru* é "rosto", "face"; assim, *Mahru* significa "rosto da lua", expressão da beleza feminina. Convém lembrar que a lua, em particular a crescente, é o símbolo do Islam, isto é, da manifestação e fecundidade do Espírito.

19. *Bakhtyar*, em persa, significa "afortunado", "filho da boa sorte".

do harém apareceu, rasgando suas roupas e puxando os cabelos, em desespero e grande pesar.

"O príncipe desapareceu! Foi levado do harém!," gritava desconsolada.

"Levado? Como e por quem?," bradou o rei.

"Não sei", ela soluçou. "Enquanto eu o banhava em água de rosas, uma pequena nuvem desceu do teto, envolveu o príncipe e o levou embora."

O rei ficou aterrorizado; não podia acreditar no que estava acontecendo. Num instante, seu filho estava ali, no seguinte, havia desaparecido. Sem dúvida, tratava-se de uma trama diabólica!

Por três dias e três noites, o reino mergulhou na tristeza e no luto pelo misterioso desaparecimento do pequeno príncipe.

Então, algo mágico aconteceu. Pelo teto por onde havia desaparecido, um berço dourado, incrustado de pedras preciosas, foi baixado por correntes de ouro. Dentro dele, belo como o Sol, vestido com roupas tão perfeitas e delicadas que não poderiam ter sido feitas por mãos humanas, o príncipe chupava tranquilamente o polegar. Com lágrimas no rosto, sua mãe tomou-o nos braços, sem conseguir conter o choro, tal a alegria por seu retorno.

Um colar de nove gemas enfeitava o pescoço da criança, e um chocalho de bolas de ouro tilintava em sua mão. Sapatinhos de veludo bordado com pérolas de água doce aqueciam seus pés, e uma delicada manta tecida em fios de ouro envolvia seu corpo.

"Ó amado príncipe, que possas viver eternamente!," gritaram as mulheres do harém, enquanto ofereciam preces por sua salvação e boa saúde.

O rei, para expressar seu contentamento, mandou construir um novo palácio para ser ocupado pelos quatro dervixes. Assim, sempre que podia afastar-se dos assuntos urgentes de Estado, o rei os visitava, e juntos comiam ou discutiam assuntos de mútuo interesse até tarde da noite.

Porém, na primeira quinta-feira de cada mês, um evento mágico e inexplicável continuava a acontecer: a mesma nuvem que levara o príncipe daquela primeira vez visitava o harém e, envolvendo o bebê, carregava-o para algum lugar desconhecido. Dois dias depois, a nuvem o trazia de volta, com seu berço sempre repleto de presentes: brinquedos de países distantes, ricos objetos entalhados em madeira, peças de ouro e gemas preciosas; tudo tão raro e valioso que todos ficavam deslumbrados.

Sete anos se passaram, até que o rei, não suportando mais aquele mistério, procurou os quatro dervixes e disse: "Ó Amigos de Deus!, minha mente está angustiada por não saber aonde meu filho é levado toda a primeira quinta-feira do mês. Preciso descobrir quem o leva e para onde ele vai?"

"Escreve uma a carta e coloca-a no berço", aconselharam os quatro dervixes. "Nela, pergunta quem é que o hospeda e com que propósito; explica que, se tivesses uma resposta, tua ansiedade cessaria."

E assim fez o rei: colocou a carta numa pequena bolsa bordada com fios de ouro e depositou-a no berço da criança.

Na quinta-feira seguinte, como sempre, o pequeno príncipe desapareceu. Naquela noite, o rei estava com os dervixes, como de hábito, quando um pergaminho caiu sobre o tapete a seus pés. Ele abriu e leu o que estava escrito; era uma mensagem surpreendente. Ele a leu novamente, desta vez em voz alta, para que os quatro dervixes pudessem ouvir: "Eu também estou ansioso. Está na hora de nos encontrarmos. Tudo está preparado, somente a tua cadeira está vazia".

Então, vindo de lugar nenhum, um grande trono desceu à sala onde estavam, e o rei Azad Bakht e os quatro dervixes subiram nele. O trono elevou-se no ar, até pousar suavemente num lugar fabuloso, onde grandes edifícios tocavam o céu como uma cordilheira de montanhas. Assim que os cinco homens chegaram a seu destino, seus olhos foram ungidos com o unguento de Salomão. Num instante, eles puderam ver centenas de fadas à sua volta, vestidas em sedas das cores do arco-íris, que espargiam água de rosas em suas faces, em sinal de boas-vindas. Milhares de criaturas encantadas postavam-se diante deles, alinhadas de acordo com sua posição hierárquica, os braços cruzados sobre o peito, em respeitosa atitude.

Azad Bakht foi levado até um trono elevado, de proporções gigantescas, incrustado com esmeraldas de rara luminosidade, onde estava sentado Malik Shah Bal, o filho de Shah Rukh.[20] A seu lado, uma linda e pequena menina-fada brincava com o jovem príncipe Bakhtyar. Cadeiras e assentos, almofadas e longos travesseiros estavam dispostos em círculos, sobre os quais numerosos membros da espécie das fadas estavam sentados.

Malik Shah Bal levantou-se e, olhando Azad Bakht, desceu de seu trono e abraçou-o ternamente. Depois, tomando-o pela mão, guiou-o até o lugar vago a seu lado. Festejaram durante todo o dia com muita alegria, homens e fadas, em perfeita paz e harmonia.

No segundo dia, Shah Bal perguntou a Azad Bakht por que trouxera consigo os quatro dervixes.

"Estes homens passaram por muitas privações e sofreram injustiças, sem que tivessem cometido nenhuma falta. Nossos destinos já estavam unidos antes mesmo de nos encontrarmos. Por isso peço tua ajuda, para que cada um deles possa alcançar o desejo de seu coração."

"Claro, farei o que puder", disse Malik Shah Bal, "mas antes deves contar-me toda a história."

Quando Azad Bakht terminou de contar a História dos Quatro Dervixes, Malik Shah Bal inclinou a cabeça, dizendo: "Agora que sei de tudo, eu os ajudarei com todos os meios que disponho." Em seguida, escreveu e enviou mensagens a todos os grandes *djinns*, de todas as partes do mundo, ordenando-lhes que viessem à sua presença, e que trouxessem consigo todo e qualquer ser

---

20. *Malik*, em árabe, e *shah*, em persa, significam "rei"; e *rukh*, em árabe, significa "espírito"; assim, *shah rukh* pode ser traduzido por "rei do espírito".

humano que, de algum modo, estivesse sob seu poder. Preveniu-os ainda de que, quem quer que se desviasse um milímetro sequer de suas ordens, ele o saberia e puniria severamente os responsáveis; se o decepcionassem em qualquer detalhe, eles, suas esposas e filhos, seriam exterminados: não sobraria vestígio algum de suas existências.

Seres mágicos foram enviados a todos os cantos com as ordens de Malik Shah Bal, enquanto os dois reis e os quatro dervixes conversavam e divertiam-se, à espera dos novos acontecimentos.

"Sempre desejei ter um filho", disse Malik Shah Bal, dirigindo-se a seus convidados, "e pensava que, se algum dia o tivesse, gostaria de casá-lo com alguém da espécie humana; pois, embora feitos de terra, e não de fogo como nós, há entre vós seres realmente encantadores; alguns até mesmo parecem-se conosco, ainda que condenados a morrer após alguns anos na Terra. Assim, quando minha esposa deu à luz uma menina, enviei mensageiros a todas as partes do mundo em busca de um príncipe nascido exatamente no mesmo instante, e ordenei que o trouxessem a mim.

"Pouco tempo depois, um adorável jovem foi encontrado e trazido a meus domínios. Desde o primeiro instante, um forte laço formou-se entre nós, e, a cada dia, tornava-me mais afeiçoado a ele. Na verdade, teria ficado com a criança; mas toda vez que pensava na angústia dos pais pelo desaparecimento do filho e no temor que sentiam de que estivesse morto, decidia enviá-lo de volta. Porém, a intenção de casá-lo com minha filha jamais abandonou minha mente, o que ainda espero que ocorra, quando alcançarem a idade apropriada."

Aquelas palavras de Malik Shah Bal trouxeram paz ao coração do rei Azad Bakht, pois a ideia de unir seu próprio sangue ao daquele rei poderoso e compassivo encheu-o de alegria.

"No início, fiquei realmente apreensivo e angustiado com o desaparecimento de meu filho", disse Azad Bakht; "mas agora que conheço tua história, certamente poderás desfrutar de sua companhia sempre que quiseres. Meu menino é teu filho; confio em ti, faz dele o que desejares!"

Dez dias depois, representantes de todas as linhagens reais dos *djinns* chegaram de todos os cantos do mundo e ali se reuniram. Primeiramente, Malik Sadiq foi chamado a apresentar a criatura humana que havia tomado em seu poder, a jovem de faces rosadas, filha do velho cego. Depois, foi-lhe ordenado que trouxesse sua filha, a princesa das fadas, para o príncipe de Nimroz, que havia ficado louco de amor por ela.

Quanto ao paradeiro do bravo Bihzad Khan e da filha do rei dos Francos, todos os presentes juraram não ter notícia alguma deles. Entretanto, quando o rei do mar de Kulzum foi inquirido a esse respeito, ele gaguejou e seu rosto ficou vermelho, deixando transparecer sua culpa. Então, ameaçado por Malik Shah Bal com castigos terríveis, ele finalmente confessou: "Vossa Majestade, devo antes esclarecer as circunstâncias em que tudo ocorreu: quando o rei da Pérsia veio até o rio encontrar seu filho e sua noiva, eu estava caçando com meus falcões naquele mesmo lugar. Olhei para a face encantadora daquela jovem e fui completamente cativado por seu olhar. Não é comum que alguém da nossa espécie se apaixone por um humano, embora o contrário seja muito frequente, mas tal sucedeu comigo. A flecha do amor penetrou meu coração, e senti um desejo ardente de possuí-la. Dei ordens aos seres encantados para que a trouxessem a mim, juntamente com a bela égua síria, no que fui prontamente atendido. E quando Bihzad Khan mergulhou na correnteza para salvá-la, fiquei tão admirado com sua bravura e fidelidade que o resgatei também. Ambos estão em meu reino, sãos e salvos." E, dizendo isto, mandou trazê-los à presença de Malik Shah Bal.

Então, chegou a vez do caso da filha do rei da Síria. Interrogatórios foram feitos e todos os *djinns* presentes foram severamente questionados, mas nenhuma pista foi descoberta. Malik Shah Bal perguntou, então, se alguma fada ou *djinn* estava ausente.

"Sim, senhor", foi a resposta. "Um grande e diabólico *djinn*, chamado Musalsal Jadul,[21] que é muito arrogante e quase incontrolável, permanece em seu castelo nas montanhas de Qaf. Com sua magia poderosa, ele escondeu-se nas profundezas desse lugar, e não fomos capazes de retirá-lo de lá. Não somos fortes o bastante para vencermos seus poderes mágicos."

Escutando estas notícias, Malik Shah Bal ficou furioso e jurou destruir Musalsal Jadul, mesmo que demorasse até o Dia da Ressurreição para fazê-lo; e que, se a princesa não fosse libertada imediatamente, sã e salva, sua fortaleza seria arrasada, e suas terras devastadas e cobertas com sal. Legiões mágicas voaram para o castelo do Monte Qaf, e o chefe da rebelião foi capturado e trazido a Malik Shah Bal. Quando lhe perguntaram onde a princesa estava aprisionada, o orgulhoso Musalsal recusou-se a responder. Como punição, ele foi cortado em mil pedaços e seus restos lançados aos quatro ventos; sua fortaleza foi atacada e reduzida a pó, e não restou pedra sobre pedra, sequer a sombra de uma pedra. Toda a terra em volta do castelo foi salgada e nunca mais nem mesmo uma folha de grama voltou a nascer ali.

Uma grande busca teve início nas montanhas de Qaf, até que a princesa foi finalmente encontrada no interior de uma caverna escura, amarrada por sua linda cabeleira a um anel de ferro. As fadas a libertaram e trouxeram-na a Malik Shah Bal.

Vendo a justiça do rei, todos os prisioneiros e os quatro dervixes louvaram-no aos céus, e a felicidade reinou entre eles.

Malik Shah Bal, então, ordenou que as princesas fossem conduzidas ao harém, para que fossem vestidas e preparadas para o casamento, e todo o lugar foi iluminado de cima a baixo, como uma montanha de viva luz.

---

21. Em árabe, *musalsal* significa literalmente "um após o outro", e deriva do mesmo radical que compõe a palavra *silsila*, "corrente", termo que designa a sucessão de mestres (*awlias*), os elos que formam a cadeia de transmissão do ensinamento espiritual de uma escola (*tariqa*); e *jadul* significa "ruptura"; *musalsal jadul* designa, assim, "aquele que rompe a corrente (do ensinamento)".

Então, quando todos estavam prontos, as festividades começaram. O príncipe da China — o quarto dervixe — casou-se com a filha do velho cego do Hindustão, que fora aprisionada por Malik Sadiq, o rei dos *djinns*; o príncipe de Nimroz casou-se com a filha de Malik Sadiq; e Bihzad Khan com a filha do rei de Nimroz. O príncipe de Ajam — o terceiro dervixe — casou-se com a princesa dos Francos; e o príncipe da Pérsia — o segundo dervixe — casou-se com a princesa de Basra. O jovem mercador do Iêmen — o primeiro dervixe — casou-se com a princesa de Damasco; e o príncipe Bakhtyar casou-se com a princesa Roshan Akhtar.

Depois das núpcias, as comemorações prosseguiram por quarenta dias e quarenta noites, e todos festejaram, cantando e dançando, noite e dia.

Passados os quarenta dias, Malik Shah Bal deu ricos presentes a cada príncipe, e consentiu que retornassem a seus países. Todos derramaram bênçãos sobre o nome e a linhagem de Malik Shah Bal, cuja ajuda e favor permitiu-lhes, finalmente, alcançar o desejo de seus corações.

Bihzad Khan, o grande guerreiro, e o mercador do Iêmen, decidiram servir ao rei Azad Bakht; um foi nomeado administrador-chefe do reino, e o outro tornou-se marechal do exército do afortunado príncipe Bakhtyar, e, pelo resto de suas vidas, tiveram sucesso em tudo o que empreenderam.

E todos viveram felizes para sempre.

Assim termina a *História dos Quatro Dervixes*. Que todos que a leram ou ouviram se sintam passeando por um jardim. E se encontrarem algumas falhas pelo caminho, por favor, queiram perdoá-las, pois, neste mundo, que jardim não tem seus espinhos?

Este livro foi composto em Berkeley Oldstyle, texto 11/13,7, Parma Petit nos títulos e impresso pela Gráfica PSI7 em papel pólen bold 90 gr. para a Attar Editorial em março de 2021.